RUEGO A UD. TENGA LA BONDAD DE IRSE A LA CRESTA

FERNANDO VILLEGAS

RUEGO A UD. TENGA LA BONDAD
DE IRSE A LA CRESTA

Editorial Sudamericana

Ruego a Ud. tenga la bondad de irse a la cresta
Primera edición: marzo de 2009
Segunda edición: mayo de 2009
Tercera edición: Septiembre de 2009

© 2008, Fernando Villegas.
© 2008, Random House Mondadori S.A.
   Merced 280, piso 6, Santiago de Chile
   Teléfono: 782 8200 / Fax: 782 8210
   E-mail: editorial@rhm.cl
   www.rhm.cl

Printed in Chile - Impreso en Chile

ISBN N° 978-956-258-305-3
Registro de Propiedad Intelectual N° 177.774

Diseño de portada y diagramación: Amalia Ruiz Jeria

Impresión: Salesianos Impresores S.A.

ADVERTENCIA

En el año del Señor de 2004, el destino, como llamamos al infinito y a menudo absurdo y ridículo enredo de contingencias con que se tejen nuestras vidas, tuvo la amabilidad de hacerme escribir un libro que algo más tarde, en 2005, casi desde las primeras semanas de su publicación, habría de convertirse en un éxito bastante sonado o al menos sonoro pese al silencio majestuoso con que lo recibió la «crítica literaria». Fue *El Chile que NO queremos*. Mientras escribo estas líneas, ya va por la octava edición, ahora de bolsillo. Aun más, continúa siendo el libro que me ponen por delante para que lo firme cuando en alguna librería estoy presente con el a menudo fallido propósito de vender y autografiar otro, muy posterior, brotado de mi campo de labranza. Por momentos me siento como Enrique Lafourcade signando la primera página de *Palomita blanca* cincuenta años después de haberla escrito.

Es posible que ese libro mío haya sido exitoso —incluso obtuvo el premio de los lectores de *El Mercurio*— por hacerse eco de lo que era un difundido sentimiento. Me refiero a la mucha gente vagamente molesta, difusamente inquieta o francamente a disgusto con lo que sucedía. Por entonces, aun los complacidos y los complacientes solían hacerse preguntas. Había quienes literalmente agonizaban en ese mar de los sargazos que es la duda y se daban de vez en cuando un correazo en el poto; eran los «flagelantes». Chile era para todos, los contentos y los descontentos, un enigma que valía la pena interrogar. No por nada el muy conocido sociólogo Eugenio Tironi produjo casi año a año libros cuyo objeto era examinar e iluminar el panorama. Los historiadores también se sumaron a la tarea, como lo hicieron los ensayistas, los columnistas e incluso los académicos. Digo «incluso», pues estos no son dados a hacer juicios apresurados, esto es, a lo que importa hoy y no hace cien años. Muchos prefieren cuidarse de no decir algo muy específico que escandalice a sus colegas y ponga en riesgo sus sillas curules, sus profesorados y decanatos.

Todo eso, dicho interés y agonía, sucedió recién ayer y, sin embargo, hablo de ello como si me refiriera a algo ocurrido en la época de mi abuela Leonides cuando rasgaba su guitarra cantando *El hundimiento del Angamos*. ¡Apenas cuatro, cinco años! Pero si bien parece un lapso diminuto, la gente percibe que aun en tan breve tiempo se produjeron cambios fundamentales. Mucho de lo que estaba en latencia ha emergido con fuerza; tendencias que apenas se insinuaban cobraron súbita presencia; valores de los que se dudaba se desmoronaron de golpe; conductas y costumbres por entonces de vanguardia son ahora de consumo masivo. Este no es ya el país de los primeros gobiernos de la Concertación, dotado de cierto entusiasmo, mística y confianza. No es tampoco aquel donde flagelantes y autocomplacientes debatían abiertamente acerca del futuro. No es el de 2004, año cuando escribí ese libro. Ni el de 2005, cuando comenzó a leerse. Es, hoy, el país donde ya no vale la pena y es hasta casi irrelevante pronunciarse sobre qué se quiere o no se quiere.

Me explico. Querer o no querer supone la capacidad para decidir un camino u otro. O al menos, si hay solo un camino, para aceptar seguirlo o no. Eso es justo lo que —en apariencia— ha terminado. El campo de las opciones se ha cerrado prematuramente como sucede de vez en cuando con la fontanela del cráneo de un niño, lo que hace de él y para siempre un microcéfalo y un idiota. El «modelo», es decir la sociedad capitalista desatada en toda su frecuente ferocidad, inequidad, banalidad, desigualdad y brutalidad, se ha apernado por largo tiempo. Es así por mucho que las «sensibilidades de izquierda» hagan votos —o más bien pidan votos— por darle una mano de pintura. En cuanto a los cuatro pelagatos que posan de «combatientes» y «comandantes», son menos una manifestación de resistencia que una de reacción histérica y algo imbécil. Es un obsoleto reflejo condicionado de la extrema izquierda y hoy, en algunos casos, de nacionalismo étnico trasnochado; es un signo de rotundo fracaso y pasividad disfrazada de activismo.

Tampoco tiene tanta importancia ni afecta mucho el que, según algunos observadores, se esté produciendo una «revolución cultural». Me parece un nombre algo exorbitante para lo que es un fenómeno más bien pobretón, consistente en que muchos jóvenes se hayan sumado a los idiotismos de las tribus urbanas, cacareen sobre las sensibilidades sexuales alternativas y les pongan cara de solidaria comprensión a las envejecidas Yeguas del Apocalipsis. No hay mucho más que eso. Por ahora y en lo que a mí respecta y de seguro a toda la generación bordeando ya los sesenta, esas huevadas no nos interesan. Estamos cercanos a la jubilación o al retiro obligatorio a punta de exoneraciones o «desvinculaciones» y lo que nos preocupa es dilucidar dónde pasaremos nuestros últimos años y haciendo qué y cómo.

Claramente, el camino de las liberaciones culturales o ya lo hicimos hace mucho o ya no nos incumbe o ya no lo vamos a hacer, mientras que el sendero muy poco luminoso del desquiciamiento urbano, del pasamontañas y el cóctel Molotov ni nos atrae ni nos luce. No estamos en edad para esos trotes. En lo personal, mi desconfianza por los energúmenos de puño en alto y voceo gutural de consignas es absoluta y se remonta a mi infancia. No me queda más remedio, entonces, que simplemente pasar revista a la clase de personajes que se han institucionalizado y atornillado, examinar las antropologías o zoologías de esta sociedad nueva para en el acto darme el gusto de hacer —con muchas de ellas, pero NO con todas— lo que hacía mi padre, Alberto Villegas, cada vez que encaraba a un majadero insufrible: lo miraba derecho a los ojos, sonreía amablemente y le espetaba esta gloriosa frase: «Suplico a usted tenga la bondad de irse a la chucha…». Es la expresión que usaba en vez de la versión *diet* que hemos dado en el título de este libro para no espantar a la clientela.

Pero además de mandar a ese lugar a los que allí envíe, iré y los examinaré en sus madrigueras, donde se mueven, prosperan y pululan. Esta gente no vive en el aire. Opera, como toda especie zoológica, en determinado hábitat. No descuidaré echarle una buena mirada a esos lugares. Iré entonces —o tal vez vaya— a sus *malls*, *resorts*, salas de eventos, oficinas, callejuelas, gerencias, barrios exclusivos o de medio pelo, condominios, barrios, etc. Después de todo, la sociedad y sus actores no son una abstracción; se expresan en un espacio, en edificios, en la ciudad. Esta última no es sino la expresión material de un modo de vida, su soporte físico.

Sin embargo, aunque por momentos este libro adquiera aires de mapa urbano o texto de geografía, en lo esencial es de criaturas vivientes de quienes nos vamos a ocupar. A muchas de ellas las mandaré a ese lugar que ya les dije. La implícita significación que tiene hacerlo, como también sucede con el popular «ándate a la concha de tu madre», es solicitarle al objeto de tal escarnio que regrese a su punto de partida, a la vagina maternal para en movimiento retrógrado ingresar en ella y no haber así nacido. Los mandaré a la chucha porque quisiera que el país hubiese seguido otro camino y quienes, hoy, encarnan esos personajes, encarnaran otros distintos. Sin embargo, casi no habrá nombres ni imputaciones personales; no nos interesa escribir una guía telefónica de odiosidades. Este no es un libro escrito por *socialités* en la setentena cobrando viejas rencillas. Mandaremos a la chucha ciertas maneras de ser, no a tales y a cuales seres. Espero que esté claro. Si no lo entiende, tenga la bondad…

EN LA *CITY*

Precursores en la *city*…

Un buen número de los personajes más detestables que ha parido esta época habitan, trabajan o circulan por la *city*. Nada de raro; en Santiago, como en otras ciudades grandes, la *city* hace referencia al punto neurálgico de los negocios, la banca, los asuntos públicos y las finanzas. Eso atrae a una gran variedad de especies tal como un oasis o una noria atrae a una gran cantidad de bestias y alimañas. Es en la *city* donde se observan las mayores concentraciones de Mantequillosos, Negritos de Harvard y ejecutivos, amén de flaites y chantas, a todos quienes examinaremos en detalle en unas páginas más adelante. Y es desde luego el hábitat donde se mueve una de las criaturas precursoras del actual modelo, algo así como el batracio original de cuyo cuerpo de piel verde, fría y pegajosa salieron por descendencia o mutación darwiniana muchos de los demás. Hablamos del Cuesco Cabrera…

Muchos años ha de esto, casi en la última Edad del Hielo; entonces, el humorista Coco Legrand parió a un personaje de comedia que inmediatamente se hizo popular por la precisión con que captó la anatomía de su referente en el mundo real: lo llamó el Cuesco Cabrera. El Cuesco Cabrera personificaba una hasta entonces nunca vista camada de chilenos involucrados en la gestión de empresas dedicadas al quehacer financiero. Aparecieron en manada. Eran ingenieros comerciales y/o su equivalente en moneda académica nacional, operadores de mesas de dinero, ejecutivos, subgerentes, colocadores de productos financieros, vendedores maleta en ristre, supervisores de aquellos y otras cien variedades a cargo esencialmente de lo mismo, a saber, sustentar todas las formas imaginables del más desnudo y puro interés comercial. Todos eran muy jóvenes.

No decimos que el comercio y las finanzas hayan sido inventadas por esos cabritos. Han existido siempre. Lo nuevo fue que de súbito mucha gente de 25 años o menos comenzó a hacer de eso un «proyecto de vida». Esto último pareció muy sorprendente y desde luego llamó la atención del querido Coco Legrand. Después de todo, en tiempos previos a 1973, estábamos acostumbrados a que las funciones económicas interesaran únicamente a sus titulares directos; lo usual era que se dedicaran a los negocios y las operaciones financieras solo los propietarios de las firmas, los ricos, los hijos de aquellos y algunos empleados y abogados de la casa matriz. Los demás, especialmente cada nueva generación, miraban esas actividades con recelo y hasta desprecio. Solo se consideraba digno el dedicarse a cosas más elevadas, ideales, utópicas o siquiera divertidas. Los niños y los jóvenes querían ser grandes ingenieros o grandes artistas, militares, políticos, científicos, aventureros o luego, en los sesenta, revolucionarios, paladines de la justicia social, reformadores o salvadores. Nadie quería estar tras un mesón o sentado en una «mesa de dinero». El único que en el colegio manifestaba interés por el comercio solía ser el hijo del ciudadano de colonia dueño de paquetería o de una industria. El poner como objeto de la vida el «ganar plata» era, para todos los demás, simplemente inconcebible. No contaba, no valía. Por eso no había entonces ni personajes de chistes ni de comedia ni de revistas de monos que detectaran, aislaran y personificaran a los hombres de negocios. Pasaban colados en medio de la indiferencia general.

El golpe militar puso fin a todo eso. Barrió a muchos referentes de esas ambiciones juveniles no comerciales y además instauró un clima ajeno y hasta hostil a las artes y el debate universitario. Las disciplinas humanistas fueron mutiladas con cuchillo de carnicero. Se cerraron carreras, se sofocaron a otras, se eliminaron presupuestos, se vigiló a académicos, se modificaron los currículos. Las escuelas sufrieron también cambios fundamentales. Los medios de comunicación, aherrojados de grado o por fuerza, estructuraron programaciones de la más perfecta banalidad. Se multiplicaron los programas de farándula.

En ese escenario empobrecido, unos pocos sentimientos muy básicos reemplazaron la variada gama de matices emocionales del país previo a 1973. Esos sentimientos fueron el miedo, el resentimiento y el odio por parte de los pobretones, una complacencia ufana por parte de las clases poseedoras. Coronando ese nuevo espíritu apareció una masiva hornada de tipos dispuestos a todo no por amor y no por dinero, sino por amor al dinero. Fueron los Cuescos Cabreras. El Cuesco Cabrera, tal como lo describió Legrand, era un joven dedicado en cuerpo y alma al manejo de dinero dentro de una organización comercial o financiera. Al principio pareció como llegado de otro planeta, un ser ajeno a nuestra historia, a las redes sociales, a las costumbres, los escrúpulos y los modales. Arrogante, ambicioso, trepador, con deseos de fundirse con las clases aristocráticas más tradicionales y con un sentimiento hiperventilado de su propia importancia, el

Cuesco vino y lo invadió todo, lo copó todo, lo guaneó todo. Lo divertido del cuadro que pintaba Legrand —él lo hacía aparecer divertido, pero era cosa muy triste— fue que, en su esencia, el Cuesco Cabrera, pese a sus ínfulas, revelaba tener el alma y a veces también la cuna de un picante. El Cuesco no era sino la nueva encarnación del arribista de siempre. Estrecho de entendimiento y obseso por el dinero y el éxito, tal como es entendido en el mundo empresarial, el Cuesco genérico pronto reveló que tras su arrebato de *self made man* y sus aires de «hombre de negocios» no era mucho más que un burócrata dispuesto a renuncios y reclinaciones surtidas. Por lo pronto, su sola abundancia traicionaba su mediocridad. Eran demasiado numerosos para constituir una elite y eran demasiado brutos para ser una contraelite.

En efecto, los Cuescos no escaseaban, sino pululaban. Se movían en enjambres en los pasillos alfombrados —con moqueta— del sistema financiero chileno tal como las cucarachas proliferan en las bodegas, cocinas y baños de los restaurantes chinos de mala muerte. Se les veía en hordas tanto en las oficinas de corredores de propiedades como en las corredoras de valores, en bancos, en aseguradoras, casas de cambio y departamentos de venta de casi toda empresa. En lo íntimo, el Cuesco, lejos de representar audacia empresarial e imaginación juvenil, era dócil, gregario e indistinto. Lo único notorio en medio de esa borrosa indistinción era su peculiar pobreza espiritual, el modo como había sido completamente descerebrado. En la pura elementalidad fisiológica de la juventud, el Cuesco no se diferenciaba ni en sus impulsos básicos ni en su inquietud hormonal de los jóvenes de cualquier época y cultura, pero al mismo tiempo carecía de lo que también caracteriza a la juventud de casi cualquier época y casi cualquier cultura, a saber, la aspiración, siquiera una aspiración a cosas superiores. Los Cuescos no querían ni oír hablar de eso. Tras sus frentes desprovistas de preocupaciones se había llevado a cabo una exitosa lobotomía. De ahí que se ufanaran de no interesarse en nada, salvo en el dinero y el éxito. Tres o cuatro guarismos completaban la ecuación de sus espíritus: interminables sesiones de televisión, gran amor por los autos y próximas vacaciones en un *resort* en Miami. Y eran feligreses hasta el grado de la beatería de la cultura de la sociedad de consumo. De hecho, fueron las vanguardias revolucionarias del consumismo, que por entonces recién comenzaba a expandir su metástasis.

Es de esa raza, de ese nuevo genoma humano, que décadas después surgirían los Negritos de Harvard.

AHORA SÍ, LA *CITY*...

Pero antes de hablar de los Negritos de Harvard hablemos de la *city* donde se movía el Cuesco y donde se mueven ahora sus descendientes. La *city* se yergue en el corazón de un cuadrilátero de unas cuantas cuadras por lado dotado de su propio nombre: el centro. Esta discreta superficie tiene raíces históricas. El centro equivale al Santiago original, al de la colonia y también —y sin muchos cambios— al de dos a tres siglos después. El resto, lo que lo rodeaba, eran lisa y llanamente propiedades rurales, fincas o quintas, a veces hasta fundos. Santiago fue por varios siglos apenas las pocas cuadras que circundaban la plaza de Armas y la inminente presencia del campo a quizás no más de dos mil metros de distancia para cualquier lado que se marchara. A partir de ese núcleo colonial la ciudad fue creciendo muy lentamente, luego más de prisa. Con las décadas y las centenas aparecieron barrios elegantes y barriadas de mala muerte, avenidas y callejuelas, tugurios y cités, más iglesias, un par de hospitales y finalmente, y como signo de progreso, algunas casas de putas.

Hubo de llegar el siglo XX para que Santiago, a partir de 1920 aproximadamente, se convirtiera en el único punto del país con edificación en altura. Hablamos de edificios de hormigón armado, antisísmicos, de entre siete y doce pisos. En los años cuarenta, el barrio cívico —una suma de moles construidas alrededor de La Moneda y de una pesadez indescriptible— congregó a todo el aparato de gobierno. Luego se fueron sumando edificios comerciales, de oficinas, de viviendas. El momento culminante de prestigio y glamour de ese centro debe haber sido el lapso entre 1950 y 1965. En ese período llegó a concentrar las mejores zapaterías y tiendas de moda, los grandes almacenes, los bancos, los cines y teatros elegantes, los bufetes de todos los abogados, los consultorios de dentistas y médicos, las oficinas donde atendían los oftalmólogos y los sastres, la burocracia pública en su totalidad, los cafés, los teatros de variedades, las boîtes, las compañías de revista, las radios, los diarios, los restaurantes, hoteles y bares. Visto desde el cerro Santa Lucía, el centro aparecía —mirando con buena voluntad su discreta masa de edificios— como una Nueva York en miniatura asomando su microcefálica cabeza de concreto en medio de una vasta, infinita extensión de construcciones de un piso.

Por esa razón, Santiago —se decía—, era un aldeón, pero al menos en medio de esa chatura el precario y subdesarrollado centro que levantaba cabeza era también exclusivo. La rotada no se movía por sus pocas manzanas de superficie. El centro era principalmente de propiedad de la «gente decente», esa que trabajaba o gestionaba sus asuntos en la mañana y en la tarde iba al cine, función de vermut o noche, vestida de punta en blanco.

Hoy, cincuenta años después, el panorama es muy distinto. A los edificios de diez pisos, grises y pesados, se sumaron muchos otros, algunos de veinte pisos o incluso más, a veces de cristal, monumentos al espíritu corporativo; más aun, al centro se sumaron otros centros, otros barrios; a los pocos autos se sumaron un asfixiante millón y medio. Y así sucesivamente. Pero, sobre todo, a la «gente decente» se agregó una completa y variada fauna, un caleidoscopio de putas y meretrices, travestis y cantantes populares, mendigos de todos los tipos, acróbatas, vendedores ambulantes, narcotraficantes, lisiados, peruanos y peruanas en busca de pega, ociosos de café, escolares con el pantalón a medio culo, pokemones, oscuros oficinistas y empleados de tiendas y «caracoles» de tercera categoría, bancarios, suches de notaría, en fin, las innumerables e indescriptibles variedades zoológicas de una sociedad más compleja, más invasiva, más democrática, más vulgar y más chanta.

La *city*, por tanto, está hoy ubicada en el sitio equivocado. A dos metros de la entrada del Club de la Unión o de una oficina gerencial forrada en nobles maderas puede perfectamente verse a un flaite meando a todo pasto en los ya chorreados muros del establecimiento; a pasos de La Moneda, donde se planean acuerdos de libre comercio, los comerciantes ambulantes venden con todo descaro mercancía robada; al lado de la Bolsa de Comercio desfilan patines crepusculares; en las paredes mismas del Banco Central algún grafitero o combatiente puede escribir con pintura en aerosol una consigna revolucionaria o un «pico pal que lee». Los elegantes cines se han convertido en bodegas, en farmacias, en liquidadoras. No bien sale de su oficina, aun el más pintado jurisconsulto y constitucionalista puede toparse con un tipo que le escupa en los zapatos. Y a las siete de la tarde ya no se puede circular sino en medio de una espesa y dudosa marea humana que incluye a prostitutas, acarreadores de clientes a cafés con piernas, delincuentes comunes, pandillas de muchachones agresivos en busca de camorra, juglares y malabaristas.

Sin embargo, y de día, en la *city* todavía encontramos, amén del pueblo llano, las muchas variedades del sujeto de terno y corbata centrado en la producción, adquisición, acumulación y *retención* del dinero.

ESTÍTICOS...

Permítanme detenerme y hacer una breve digresión acerca de lo último: sostengo que la retención es rasgo quintaesencial en el hombre y mujer de dinero de nuestro país. Asevero aquí, con toda seriedad, responsablemente y sin intentar metáfora alguna, que la clase poseedora de Chile está formada en su mayor parte por gente de carácter anal, muy dada a la retención. El chileno y la chilena adinerados retienen sus billetes con el mismo afán y pasión con que el estítico retiene sus heces. Su estilo de poseer dinero es el del avaro. Les vienen bien las viejas apelaciones de «coñete» o «amarrete». Es gente incapaz del menor gesto de generosidad digno de ese nombre. En Chile no son ni los emprendedores ni los creadores ni los inventores los que constituyen la flor y nata de la elite, sino los mezquinos y los mano de guagua. Existen en todos los sabores y variedades: los hay desde magnates y financistas de alto vuelo a administradores medio pelo con pretensiones de escalamiento social, desde gerentes con apellidos vinosos —ostentando todavía sus heráldicas castellano-vascas y el recuerdo de la fortuna de sus abuelos— a personajes de colonia más o menos recién llegados al poder y privilegio, celosos y orgullosos de sus orígenes, pero al mismo tiempo ansiosos por ser aceptados por las viejas familias y apellidos. Da lo mismo: todos son, por igual, adoradores de un becerro de oro que aprieta el esfínter para no soltar ni una chaucha. Son hombres y mujeres de negocios en su versión mercantilista, la del que atesora como una urraca, del que repite una y otra vez «el que guarda siempre tiene». Sacarles un billete del bolsillo es tan dificultoso como extraer champán de una roca. La generosidad la ejercitan solo con ellos mismos y suele manifestarse en un ostentoso despliegue de los bienes y servicios que en ese momento sean emblemáticos de la prosperidad y el éxito en metálico. En fin, en esta *city* enquistada hoy en medio de un centro plebeyo, los de esfínter enjuto y sus empleados se mueven en los mismos ambientes, en oficinas y pasillos alfombrados, en recintos cerrados por vidrios impenetrables e inamovibles, en edificios inteligentes cuyos ascensores jamás dejan al visitante en el piso que se necesita, en espacios de aire inmóvil que ya a las tres de la tarde huelen a encierro, a papel, a perfumes rancios, a sudor y a pedos soplados subrepticiamente. Ahí, por cierto, es donde encontramos al Negrito de Harvard.

El Negrito de Harvard

Con el paso de los años, ese *reservoir* humano constituido por los Cuescos Cabreras fue decantando. Muchos de ellos, como sucede con la mayoría de los jóvenes, demostraron fehacientemente que no había sustancia alguna interesante tras esa promesa implícita que cacarea siempre el entusiasmo basado en el hervor de las hormonas, nada en esa esperanza nacida del «toda una vida por delante». En su inmensa mayoría, ya a los treinta años de edad —si no antes— dichas «promesas» suelen dar satisfactorias pruebas de medianía en todo orden de cosas. Crían guata, pierden cabello, se les cae el poto y no dan ni chispa ni fuego en nada; se convierten simplemente en otra generación de burócratas de pantalones grises, bolsudos y pasados a poto, en víctimas de las hemorroides, de la caspa, del estrés laboral y abrumados sostenedores de una familia con mujer histérica, dos o tres hijos pelotudos nunca satisfechos, cuentas por pagar, hipoteca, la deuda del auto y alguna aventura extramarital que les otorga más dolores de cabezas que placer.

En el caso de los Cuescos, sucedió entonces que de cada cien apenas cinco o seis demostraron tener material para convertirse en ejecutivos superiores. Esos pocos elegidos accedieron a las subgerencias, y entre los cuarenta y cincuenta años comenzaron a ganar algo más de dinero. Pero llegaron solo hasta ahí. Ese fue su techo. Arriba se abría un todavía más remunerativo coto de caza, pero sería de uso exclusivo de los Negritos de Harvard, estado evolutivo superior del Cuesco Cabrera.

Nacidos algo más tarde, criados y crecidos en las nuevas condiciones, amamantados con la leche del exitismo monetario y la ambición por hacer carrera en las jerarquías de la empresa privada, los Negritos no solo tienen todo eso por *default*, sino además poseen títulos universitarios y a veces también contactos y/o dinero suficiente para ir a Estados

Unidos a comprar un posgrado. Una vez allí todo se allana: conque tan solo posean inteligencia mediana, disciplinas de estudio, ningún problema para hincarse ante el tutor y rendirle pleitesía a los lugares comunes académicos que prevalezcan en ese momento, inevitablemente se convertirán en máster o en doctores. Así acceden al Olimpo del mundo profesional. Esto, salvo en ciencias como la biología molecular o en las especialidades físicomatemáticas, no significa gran cosa. En términos académicos, un doctorado en economía o en ciencias políticas no entraña más sabiduría ni implica más talento que los de un astrólogo que ofrece cartas astrales por Internet; es probable, incluso, que dicho astrólogo tenga una cuota de aciertos mucho más alta. Pero qué importa; un doctorado ciertamente otorga ampliadas oportunidades para escalar los más altos niveles del escalafón corporativo. De ahí la obsesión creciente de millones de chicos por obtener uno. Hoy en día, no tener un doctorado en lo que sea, cualquier cosa, equivale a lo que antes era no tener la licencia secundaria. Es de ese medio de donde y cuando aparece la figura del Negrito de Harvard puesto al servicio de la empresa.

Veamos ahora las cosas en su significación concreta: en Estados Unidos, el Negrito de Harvard es simplemente un pobre joven de color al que se le dio cupo académico para probar que en la universidad benefactora no hay segregación racial. Es la mosca en la leche con la que se pretende dar señales de tolerancia y amplitud de criterios, liberalismo y todo lo demás. El Negrito bien puede ser académicamente un cero a la izquierda, pero caucásicos o asiáticos hay ya demasiados. Al negro se le necesita como muestra de la blancura.

En Chile, por su parte, el Negrito puede ser blanco, pero su apellido no es ni Errázuriz ni Larraín ni Correa ni Vial ni Matte ni Edwards ni Montt, como tampoco ostenta el de algunas de las familias establecidas de la capa posterior de ricachones de origen árabe, judío, español, alemán o eslavo. Pero es útil. Es útil no para dar muestra de tolerancia étnica y de clases, pues acá más bien interesa lisa y llanamente la intolerancia y «poner a los rotos en su lugar», sino por su fanática disposición a aplicar su entera técnica financiera a optimizar el beneficio del patrón. Lo hace útil su implacable disposición para tratar a los trabajadores como mero «recurso humano». Útil es también su frialdad a la hora de considerar las necesidades y peticiones de los empleados, su obsecuencia sin límites, su confianza talibana en la economía de mercado y su desdén por los efectos sociales o ambientales de los negocios que promueve o administra. No por nada fue algún Negrito de Harvard el que acuñó y puso en circulación esa despreciable moneda semántica, ya clásica en el mundillo de los ejecutivos, comerciantes, empresarios y grandes hombres de negocios, esa expresión siniestra que es «cortar la grasa». Cortar la grasa significa, como ya sabemos, echar gente o rescindir contratos para rehacerlos en condiciones inferiores. Cortar la grasa es cortar cabezas, cortar beneficios sociales y cortar servicios.

El Negrito de Harvard, en cualquiera de sus modalidades o encarnaciones, llámese gerente de finanzas, de personal, de ventas, de insumos, etc., es prácticamente siempre, por las razones de su cargo, un personaje detestable. Lo es por su mezquindad en el trato con terceros, por su actitud y conducta genuflexa con los patrones, por la estrechez de su visión del mundo, la cual limita con la cantidad de decimales de su calculadora. Detestable, porque se ha apoderado de todos los cargos estratégicos del sistema privado y público y ha impuesto su doctrina a todo el país.

El Negrito de Harvard está por doquier y en gran número como las columnas de hormigas en primavera. Según su calibre mental opera al más alto nivel o, si es más rasca, en una división administrativa. El Negrito reemplazó y desplazó al abogado que en otras épocas cumplía faenas semejantes. Lo reemplazó haciendo uso de un nivel superior de eficacia en lo que toca a ganar dinero. El abogado clásico era nulo para las finanzas y podía tener, a veces, ciertos escrúpulos nacidos menos de la honestidad que de la negligencia. El Negrito de Harvard no se detiene ante esas menudencias. Su único norte y referente es la contabilidad de la empresa, a la cual supedita todo lo demás. Si se le insiste en considerar el factor humano, dispone de un evangelio que legitima sus actos con el siguiente axioma: lo bueno para la empresa es bueno para todos. ¿Acaso no da trabajo? ¿Y cómo va a darlo si no maximiza sus beneficios? Y por otra parte, arguye: «El mercado es el que determina las condiciones de los trabajadores, no la empresa ni yo».

El Negrito de Harvard, a menudo de figura, nombre y rostro desconocidos, es quien en la actualidad gobierna este país. Una vez que la empresa o la repartición pública le entregan la gestión de los asuntos financieros, se pasa a depender de él, de su *expertise* técnico. Es un secreto a voces que en el caso de las finanzas públicas la última palabra la tiene no el Presidente o el ministro de Hacienda o de Economía, mucho menos el Parlamento o los partidos, sino los Negritos de Harvard de la «Dirección de Presupuesto». No importa qué decidan los primeros, estos tienen la última palabra. Y entonces el proyecto «consensuado», la iniciativa votada favorablemente, el acuerdo signado por las bancadas, la iniciativa de ley y el decreto del ejecutivo serán, en la Dispre —la dirección de presupuesto tal como la mencionan los conocedores— debidamente cortados, amputados, recortados, jibarizados, anulados, postergados, olvidados o rechazados así como así.

En el mundo de las empresas privadas el Negrito también tiene la última palabra. Él decide lo que se puede o no se puede hacer enarbolando para esos efectos la martingala de sus cifras. ¿Quién se resiste en estos tiempos a la ciencia infusa de un manipulador de calculadoras, de planillas Excel, de balances contables? Mostrar dudas sería demostrar ignorancia frente a la ciencia económica.

Quizás se me pidan ejemplos más concretos de esta especie zoológica. Nombres, direcciones e-mail, casillas de correos. Sobre todo nombres. Pero, ¿cuál es el sentido de dar descripciones personales y detalles? Es de mal gusto y además yo también tengo algo de Negrito de Harvard cuando se trata de contabilizar el número de enemigos que ya se suman, versus mi decreciente capacidad para anularlos y/o resistirlos. Pero sobre todo sería un ejercicio inútil: el Negrito de Harvard se caracteriza precisamente por no ofrecer rasgos personales. Es, de entre todas las especies que examinaremos aquí, quizás aquella que con mayor intensidad hace desaparecer su individualidad en el rol, lo particular en lo universal. Conoce usted a un Negrito de Harvard y ya los ha visto a todos. Su discurso engolado repleto de términos económicos de la escuela tal o cual, su creencia ciega en el mercado, su gusto idolátrico por el vestuario de marca, sus visitas a los *gymns* y los solárium, su afán por poner sus casas en manos de decoradores de interiores, su alfabetismo reducido a la lectura del horóscopo, manuales de autoayuda y tratados de economía y gestión, su gusto musical basado en baladistas populares y música New Age, como la que se difunde en la sala de espera del dentista, todo eso es observable casi sin desviación en cada ejemplar de la especie. Algunos, unos pocos, tienen o dicen tener intereses por la ciencia o las artes. Van, entonces, a la ópera en la temporada del municipal o se hacen miembros de la Sociedad de Amigos y Protectores de Galileo.

Los Mantequillosos

En la misma *city*, pero por encima, muy por encima de los Negritos de Harvard, casi en el cielo y a la diestra de Dios Padre, están sus empleadores, los Mantequillosos. Si usted es persona común y corriente jamás tendrá la posibilidad de siquiera estrecharles la mano, verlos de cerca ni oírlos hablar en persona, salvo que sean candidatos y se ponga al alcance de sus prefabricadas sonrisas. Se mueven, no como nosotros, de la casa a la pega, a la panadería y el cine del barrio, sino en un circuito exclusivo, costoso y estratosférico, entre cuyos puntos o estaciones de parada —edificios corporativos, clubes exclusivos, restaurantes de altísimo costo, helipuertos y mansiones residenciales— se desplazan solo dentro de lujosos automóviles con las ventanillas cerradas y/o empavonadas. De todos modos, sus rostros son conocidos; aparecen con frecuencia en las noticias de la televisión y lo hacen todas las semanas en las revistas de economía y en los suplementos de negocios de la prensa. Desde todos ellos pontifican sin cesar. Se los fotografía acomodados en sillones de cuero de alto respaldo, rodeados de su corte de Negritos de Harvard, predicando acerca de sus negocios, hablando con ternura de «toda una vida de trabajo» y luego dándole cachetes al gobierno por «no hacer lo suficiente»; a veces también elaboran discursos sobre eso que la siutiquería imperante llama «los temas valóricos».

¿Por qué esa expresión, Mantequillosos? Confieso aquí subjetividad y capricho. Digamos que me parece ver en los rostros de esa variedad de la especie humana una complacencia brillosa que me recuerda la grasa de un buen trozo de jamón, un estiramiento lozano salido del éxito y/o del bisturí de un cirujano plástico. Sus cutis rebozan —esa es la palabra— contentamiento. Pueden tener setenta u ochenta años, pero ostentan mejillas sonrosadas, la piel les reluce desbordando salud y sus ojillos porcinos, a menudo entrecerrados como para sacar mejor las cuentas, brillan con ese resplandor que solo otorga la buena costumbre del triunfo monetario.

En ocasiones estos individuos me han parecido de otra raza, algo así como criaturas brotadas del laboratorio de un científico loco en busca de una variante superior del *homo sapiens*. Pues bien, confesémoslo: tal vez son de otra raza. Corrijo: los ricos son notoriamente de otra raza. Son en promedio más altos, más fuertes, más hermosos, más listos, más saludables que nosotros. Son más recios e implacables, más inescrupulosos, más audaces, más crueles, incluso más afortunados. Al lado de los Mantequillosos —aun de los de muy reducida estatura, de los que están al borde del enanismo— el ciudadano de a pie se siente poca cosa, sin importancia, mezquino en su pequeñez, sin luces, un quemado de por vida e incapaz de algo que valga la pena. Por eso, cuando el Mantequilloso, en su oficina o su mansión, nos ofrece un simple vaso de agua, lo recibimos como si acabase de brindarnos un Carmenère de diez años de guarda. Todo, en efecto, se trasmuta en su presencia. El Mantequilloso cumple diariamente el milagro de la transformación del agua en vino.

La otra faz del Mantequilloso, o tal vez sería mejor decir su «talón de Aquiles», es la ufana arrogancia que nace inevitablemente de ese sentimiento de superioridad y poder. Acostumbrados a pasarnos por encima únicamente por el hecho de que tienen más dinero, terminan creyendo que esa capacidad de atropellar es de origen y derecho divino. No toleran ningún obstáculo, demora, trámite. El país, qué digo, el mundo debe plegarse instantáneamente a sus requerimientos. Esto los hace muy prepotentes y desconsiderados. Habituados a que se les oiga con el debido respeto que insufla el tufo a dinero, creen ser atendidos de ese modo por ser concesionarios vitalicios de la verdad y la razón. Impacientes, de hecho, no se oyen sino a sí mismos. Lo que digan los demás solo tiene oportunidad de ser considerado si coincide con lo expresado por el Gran Hombre. Y para asegurarse de que así sea se rodean de sicarios de la adulación, maestros de la cortesanía y las prosternaciones. En suma, de nulidades que hacen crecer aun más desaforadamente sus ya exaltados egos.

Por eso, en su calidad de gerentes generales o presidentes del directorio o como dueños de esto o aquello, se les ve eternamente acompañados por un séquito de bataclanas corporativas que no disimulan su adoración, sus señales de admiración y sus muestras de acatamiento.

Ahora bien, ¿cuál es el valor intrínseco de estos personajes, si acaso, con una imaginativa y rencorosa sustracción, los despojamos de su dinero?

Respuesta: si les quitamos su dinero dejan de ser Mantequillosos. Sin dinero su piel se vuelve menos brillante y más cetrina, sus mejillas se convierten en mofletes, sus pasos seguros y altaneros se hacen vacilantes, sus ropas parecen perder la línea, sus pantalones caen bolsudos y sus chaquetas se les desbocan en los hombros. Y todo lo que poseían además de su dinero pierde brillo y prestancia. Si acaso alguna vez se lucieron al mostrar sus bibliotecas de digamos 1500 volúmenes a una admirativa y embelesada periodista de una revista de decoración, el día en que pierden la plata asumimos con todo rencor que 1490 volúmenes de esa biblioteca no han sido siquiera desnudados del celofán que los envuelve. Sí señores: si se es rico la fortuna presta resplandor incluso a una fruición superficial de la cultura. Por eso y tácitamente a muchos poderosos les perdonamos sus lecturas de *best sellers*, sus preferencias musicales por baladistas gimoteantes, su filosofía de almanaque, su religiosidad de bodas y funerales, sus escritos repletos de clichés, sus citas del *Reader's Digest*. Son un adorno nada más, quincallería barata, frisos hechos en serie y a base de yeso, pero aun así, siendo adornos del grandioso edificio de la riqueza, adquieren prestancia inusitada. Y entonces balbuceamos, piadosamente: «he ahí un hombre exitoso, culto y brillante».

Hasta ahí el resplandor, el color y olor del dinero bendiciendo cualquier cosa, dando sustancia a cualquier apariencia. Digo apariencia, pues cuando se tiene acceso a la privacidad de los Mantequillosos, tarde o temprano se comprobará que no pocos de ellos muestran la ojota. Triste cosa es examinar la biblioteca —cuando la tienen— de algunas de estas lumbreras. Debe uno mirar para otro lado para no hacer notoria la vergüenza ajena que suscita ver alineadas las obras completas de Tom Clancy, enciclopedias escolares, volúmenes del tipo «las cien cosas que usted debe saber» de esto o aquello, la biografía de uno o dos personajones y la Santa Biblia encuadernada en cuero. No hay nada de malo en todo eso; no es peor de lo que se encuentra en la biblioteca o estantería del ciudadano promedio, si la tiene. Después de todo vivimos tiempos de analfabetismo o, para decirlo en el tono positivo de los modernistas, vivimos tiempos en los cuales «el paradigma de la palabra ha sido o será reemplazado por la imagen...». De todos modos se esperaría algo más de esas eminencias. Humano es suponer valor intrínseco superior en aquello bien envuelto y empaquetado. Humano también es ser obsecuente y benévolo con lo que hagan o digan los poderosos. Ninguna ridiculez, ningún error, ninguna grosería es imperdonable si la comete un Mantequilloso.

A propósito, ¿han leído *La piel*, de Curzio Malaparte? Un libro magnífico y terrible. Se ambienta en la Italia derrotada de fines de la guerra, abandonada ya por las tropas alemanas y recién invadida por las tropas aliadas. Malaparte acompañó a los aliados en su progresiva invasión de Italia desde Sicilia y vio cómo al paso de las columnas de tropas y tanques todas las formas de la bajeza, la miseria y la inhumanidad se hacían presentes. Penoso, terrible espectáculo cuando la sociedad pierde esa frágil cutícula que es la civilización, cuando el hambre y la necesidad cobran formas bestiales. Sin embargo, tal vez lo más conmovedor y profundo de este libro sean las reflexiones que Malaparte se hace a propósito del cadáver de Mussolini, al que vio colgando de un gancho de carnicería, a propósito del cuerpo baleado, pateado y vejado del ufano, arrogante y pretencioso dictador que había querido hacer de la pobre y atrasada Italia de los años veinte y treinta un reestreno del Imperio Romano.

Un cuerpo colgando de un gancho de carnicería es capaz de estimular muchos pensamientos; se pregunta uno adónde se fue tanta gloria, tantas ambiciones, el oropel, la fama. En esa forma extrema, de caricatura, se hace manifiesta la desnudez y precariedad de la condición humana, su esencial insignificancia, su papel de víctima perpetua del destino, de la buena o la mala suerte, la brecha inmensa que separa su carnalidad temblorosa y mortal de la fanfarria de sus dichos. Es así, viendo retrospectivamente ese cuerpo desnudo, observándolo tal como lo imaginé la primera vez que leí ese libro, que a veces me reconcilio un tanto con los Mantequillosos. Su piel revela entonces solo ser, como la mía, apenas el delicado y perecedero forro de la penosa condición humana. Esos sujetos de cuyas maniobras y actos dependemos para ganarnos la vida, los que se adueñan del mundo a cada paso, propietarios de tierras y almas, patrones, empleadores, abusadores, perpetradores, implacables criaturas del dinero, no son, después de todo, mucho más sustanciosos que nosotros.

Mientras tanto, antes de ser colgados en pelotas desde ese gancho virtual que son las vicisitudes inesperadas y crueles, las enfermedades, la mala fortuna o la muerte, antes de darnos la triste satisfacción de verlos tan inermes como nosotros y sometidos por igual a las miserias de la especie humana, los Mantequillosos han heredado el país, han disfrutado la alegría que vino, rehecho y aumentado sus fortunas, y han ampliado sus privilegios. Los Mantequillosos, para decirlo sin ambages, son los dueños de Chile. ¿Cuándo no lo fueron? La diferencia es que ahora nadie les disputa esa posesión. No hay un «movimiento popular» que se les plante al frente y amenace con un país socialista. Ni siquiera hay una manga de temblorosos pequeñoburgueses de la tibia clase media chilena que enarbole frente a sus narices una reforma, un remodelaje del modelo, una pasada de rímel por los ojos y de polvos base en la cara. Nada. Al contrario, sus antiguos oponentes se han convertido en sus lacayos. Se han reconvertido, reciclado. Han visto la luz. Visten trajes mandados a hacer a buenos sastres, cambiaron de autos, de casas, de esposas. Descubrieron las Verdades Reveladas del texto de economía de Samuelson. Sienten, de vez en cuando, ciertos escrúpulos, pero los olvidan con rapidez. Circulan fácilmente del aparato público al privado y viceversa. Operan como serviciales *lobbystas* a tanto por nuca. Algunos de ellos, cuyo nombre me reservaré por ahora, han incluso adoptado el aire ubicuo, salivoso y servicial del párroco de pueblo que oye las confesiones de la primera dama local. Ocupan directorados —cuyas sillas calientan una vez al mes— por principescas remuneraciones. Ofrecen sus servicios como resplandecientes genios jurídicos a empresas y corporaciones públicas a las cuales suministran informes en derecho de la más perfecta inanidad. En breve, están ahí donde se encuentran el dinero, el poder y el privilegio. En eso se equivocan mucho menos de lo que lo hicieron cuando quisieron hacer cambios en libertad o revoluciones con vino tinto y empanadas.

Los Mantequillosos viven una edad de oro. La disfrutan a pesar de los ciclos, las recesiones, los «desplomes» de la bolsa. He tratado de buscar símiles a lo largo de la historia humana y he encontrado uno en el siglo de Luis XIV, rey de Francia por derecho divino, autor de la frase —o al menos se le atribuye— «el Estado soy yo». Luis XIV y su corte de inútiles cortesanos vivieron, por un lapso, en

jauja. Nada ni nadie se les opuso. Eran la joya resplandeciente de Europa. Si alguna vez ha habido Mantequillosos,
fueron esos señores y señoras cuyos cutis chorreantes de
complacencia fueron retratados al óleo por los pinceles
más caros de la época.

Pero los Mantequillosos de hoy los superan. No se trata
únicamente de lo que tienen, sino de lo que creen. Están per-
suadidos de que la historia ha llegado a su fin. Lo que llaman
el «modelo» es, a su juicio, el veredicto definitivo de dicha
historia. Se cierran las propuestas, no hay más alternativas.
No va más... Cuando mucho se aceptan perfeccionamientos.
¿No hemos oído de sus bocas el concepto «conservadurismo
compasivo»? Ahora también hablan, con increíble audacia,
de regulaciones. Bien pudiera ser que las señoras de los Mantequillosos reediten la vieja costumbre de las damas decimo-
nónicas de visitar, los domingos, hospitales y manicomios.
Podrían también cambiar el diseño de los sellos postales.
Hay mucho por hacer. La historia humana, en su interminable odisea, en su inacabable encadenamiento de crímenes,
miserias y locuras, no tenía otro objetivo que producir esa
magnífica pieza de orden social llamada «el modelo». Para eso
salieron las hordas de cavernícolas a cazar mamuts, para eso
se inventó la rueda, se domesticó a los animales, se inició la
agricultura, se elevaron los templos griegos, surgió la filosofía,
marcharon las legiones romanas, padecieron Cristo en la cruz
y los cristianos en el circo, se desarrollaron la astronomía y
el cálculo integral. Para eso. Para asegurarle su pitanza a los
clérigos y arzobispos del modelo.

Algo más del centro y la ciudad...

El centro de la ciudad es poblado y usado por muchas otras especies, no solo por los envejecidos Cuescos, los Negritos de Harvard y los Mantequillosos. Rara vez se topan. Suelen, todas las variedades del bestiario, circular por sus propias órbitas y protagonizar sus propios libretos de modo que jamás se relacionan significativamente unas con otras, pero aun así y en su calidad de comunes habitantes y transeúntes de la ciudad pueden por un instante cruzar sus caminos, estorbarse en sus designios, hacer siquiera contacto visual e incluso entablar breves relaciones de compra y venta.

Tal relación huidiza, fugaz y superficial entre desconocidos es muy propia de las metrópolis. La inmensa mayoría de sus habitantes no se conoce, no se interesan unos en otros y no se importan para nada, salvo si aparecen en un pantalla y entonces se transforman en mercancía con capacidad para llamar la atención, objeto de curiosidad, de morbo, de culto o de desprecio. Al mismo tiempo, a menudo se aglomeran en los mismos espacios, compiten físicamente por las mismas coordenadas y se convierten en adversarios y hasta en enemigos.

Es precisamente del núcleo de ese confuso y promiscuo contacto celebrado en medio del más absoluto anonimato e indiferencia, de ese encontrarse involuntario salpicado con fogonazos de agresiva competencia, de ira o molestia por el mutuo estorbo que se infligen, que deriva la vitalidad de la ciudad, la vibración urbana que fascina a tantos. Su origen es el cruce o colisión de infinitas trayectorias personales en un espacio acotado. La vida de la ciudad no es un drama con un perfil definido, sino un caótico amontonamiento de multitudes sin faz propia, sin proyecto común o agenda colectiva. Su aparente perfil depende, entonces, de una ilusión parcial derivada de la vereda desde donde la miremos.

Sucede entonces que si observamos boquiabiertos hacia arriba, hacia las altas torres corporativas erigidas en los noventa e imaginamos a sus laboriosos ocupantes, a Mantequillosos y a suches, la *city* se nos ofrece como centro neurálgico de las finanzas y los negocios, materialización de la modernidad y su proyecto de negocios; en cambio, si miramos hacia cualquier parte desde la esquina de calle Puente con Rosas, cerca del Mercado Central, sus hileras de negocios baratos, sus multitudes pobretonas y sus veredas repletas de vendedores ambulantes nos hacen pensar que nos hallamos en otra apiñada y destartalada versión del tercermundismo urbano; en la noche y desde cualquier punto que se escoja, la *city* no nos parece distinta a cualquier puerto de mala muerte repleto de putas, maracos y travestis.

En ese revoltijo variopinto consiste el alma de la metrópolis, en eso radica su perverso encanto. Pero no es una mezcla simétrica en donde se suman cantidades iguales para dar lugar a una entidad diferente y monstruosa por lo amorfo de su semblante. Los desvalidos y los disminuidos son la mayoría. Al menos es de ese modo en casi todas las ciudades del mundo, excepto quizás en las de Suiza. Y así como en la cumbre de los más altos edificios mora y labora la crema, de allí para abajo y en pisos y pasos sucesivos se desciende por la pirámide laboral, se angostan los espacios, se reducen las oficinas, se aglomera más gente, el aire se hace irrespirable, el sofoco crece, el ingreso per cápita se hunde y la civilización se desmorona.

EJECUTIVOS

En algún lugar a medio camino de ese descenso encontramos a los ejecutivos. Ejecutivos a secas, sin calificativos, o los llamados ejecutivos jóvenes; ejecutivos varones o ejecutivos hembras; ejecutivos recién entrados o ya con años de servicio. Y también una variedad que veremos más adelante, a saber, el ejecutivo que al mismo tiempo es un «roto mala clase».

Todos por igual están a mitad de camino de la sima y la cima, del éxito y del fracaso, de la esperanza y la frustración, pues aunque son mejor evaluados que los administrativos corrientes, lo son menos que las gerencias. Aún el glamour que les confiere su título y su aire de gente ocupada es tan a medias como la privacidad de los patéticos cubículos armados con paredes movibles en donde se encuentran sus puestos de trabajo. El empleado común y corriente llena papeles, traslada papeles, revisa papeles, timbra papeles, pide papeles. El ejecutivo hace más o menos lo mismo, pero agrega una firma. Agrega su «mosca». Es la señal, dicha imperceptible mosca, ese garabato trazado con lápiz de pasta, de su estatus superior. De ahí el significado real del título que se les ha otorgado: como ejecutivos ejecutan la puesta en el papel de la firma que hace posible su traslado hacia otro escritorio.

Advierto al lector que soy plenamente consciente de que los ejecutivos no son un producto nuevo ni mucho menos. No nacieron ayer ni anteayer. Otrosí: este libro no pretende llenar un catálogo de tipos humanos y personalidades nacionales de todos los tiempos, sino solo de la particular zoología que ha aparecido o se ha hecho más notoria en los últimos años del actual régimen. Los incluyo, entonces, porque sus rasgos han alcanzado plena madurez en la última década. Es por eso que aportan novedad y merecen tratamiento.

En verdad recién ha sido en los últimos diez años cuando se ha asociado a ese rol, el del ejecutivo, una cierta aureola muy marcada y particular. En virtud de ella se asume que los ejecutivos en todas sus encarnaciones participan o deben participar al ciento por ciento del espíritu, la cultura y el *ethos* de la empresa como nunca antes se había esperado. En su calidad de víctima propiciatoria de la farragosa literatura relativa al *management*, la cual ha proliferado justo en este período, el pobre ejecutivo, quien difícilmente trepa más de uno o dos escalones antes de toparse con la barrera infranqueable de los doctores de la ley, debe sostener una postura distinta a la del empleado corriente; hablamos de una postura que antes se solicitaba a las más altas gerencias y se presuponía solo propia de ellas.

En definitiva, del ejecutivo de hoy se espera un entusiasmo corporativo sin límites y no un mero «ponerse la camiseta», expresión ochentera que entrañaba dejarse acarrear a los eventos corporativos organizados por la dirección suprema durante los fines de semana y ostentar cierto ficticio e ineficaz aire de sumo interés; hoy se pide, a quien ocupa un cargo ejecutivo, que no dé «muestras» sino ofrezca claras pruebas de dicho interés. Y ha de creer sinceramente en eso que en los medios de comunicación se llama «línea editorial» y en otros ámbitos se apoda «filosofía de la empresa». En fin, su corazón debe rebozar lealtad a toda prueba y expresar enteramente el espíritu empresarial y comercial de los tiempos.

Cuando ese propósito es exitoso, cuando en verdad la planta del personal se infecta con ese «espíritu», los ejecutivos jóvenes pronto dejan de manifestar aunque sea un resto fósil de las disposiciones inquietas, a veces incluso rebeldes, de los muchachos de otrora. Y si son ejecutivos maduros, llega el momento en que ya no se detecta en ellos ni un átomo de la independencia de carácter y de pensamiento que se supone es o debe ser el caudal único e intransferible de quien ha vivido una vida y se ha ganado el derecho a una postura propia frente a ella.

En ambos casos, trátese de ejecutivos jóvenes o maduros, es difícil registrar aspiraciones, dudas, preguntas, carácter, ideas, gustos propios, distinción y personalidad, entendida esta como el elaborado desarrollo que uno debiera haber alcanzado o estar alcanzando. En sustituto de todo eso, dichos ejecutivos se han aprendido al revés y al derecho la doctrina oficial de la iglesia del Sagrado Modelo. De ahí derivan sus protocolos de conducta y sus discursos. Hoy nadie cacarea mejor que un ejecutivo las virtudes celestiales del mercado. El tipo ideal de la especie es acólito y publicista del mercado, su humilde siervo y servidor; si es necesario, su mártir al ser despedido. En el principio fue el Verbo y casi enseguida la Mercancía. Todo lo demás, antes o después, no vale la pena ni mencionarlo. Viven entonces, como los niños, la dichosa experiencia de ignorarlo todo salvo las reglas del juego en el que están sumergidos.

Puede decirse que estos ejecutivos han sido producidos en estrictas condiciones de laboratorio, totalmente al margen de la memoria histórica; si acaso la tienen es formularia, breve, a retazos y coincidente ciento por ciento con leyendas y mitos cuya razón de ser es acabar con ella, olvidarla, relegarla, desvanecer su riqueza y complejidad. Para ellos la historia universal se resume del siguiente y grandioso modo: luego de crearse e inaugurarse el mundo alrededor de los años ochenta por obra y gracia de Juan Pablo II, quien echó abajo el comunismo, ahora se nos llama a repletarlo de bienes de consumo. Para esto último se requiere una perpetua e incansable actividad, un renacer inacabable de las ambiciones, un hambre vitalicia por el éxito que nada pueda llenar, perenne nerviosismo y ansiedad sin origen ni destino.

Por eso hasta en sus ademanes físicos más inocentes el ejecutivo medio ofrece palmaria y concluyente prueba de su perfil carente de rasgos. ¿No se les ve encarnando un prototipo estándar en cada ocasión de la vida? Representación palmaria de eso es para este cronista el tipo de camiseta, pantalón corto, zapatillas, un iPod en el oído y un reloj para deportistas en la muñeca que está esperando el cambio de luz del semáforo pero sin dejar de trotar allí mismo donde el tránsito vehicular interrumpió su movimiento, su interminable esfuerzo por «estar bien». Trotando inmóviles sobre un punto fijo, sin avanzar, son una metáfora magnífica e insuperable del sentido de su inquieto e incesante afán.

En verdad, entonces, en lo fundamental estos ejecutivos se diferencian de sus colegas de los setenta y ochenta, de los Cuescos, por una sola razón de peso, como lo hace toda segunda o tercera generación respecto de la primera: ya no son novedad. Por eso no inspirarán ni al Coco Legrand ni a ningún otro comediante para elaborar a un tipo cómico. Son parte del equipo de las oficinas, del mobiliario.

Sin embargo, hay en ellos un rasgo, al menos UN rasgo muy destacable que justifica su aparición en este libro: en estos ejecutivos perfeccionados de hoy no se aprecia o vislumbra, como ocurría antes, una carencia, un vacío, algo arrancado de allí que estuviéramos acostumbrados a ver o suponer que existía, la herida aún abierta de una amputación.

Los Cuescos estaban lobotomizados; los ejecutivos vienen de fábrica sin nada que requiera cirugía. En ese sentido son más completos, pues no hay nada por echar en falta. Manifiestan la acabada e impávida perfección de un personaje de museo de cera. Es entonces, no habiendo absolutamente nada que reprocharles, no habiendo nada con qué compararlos, siendo como son impecables en su pertenencia a los tiempos, cuando se siente ante ellos la sensación de que son artificiales.

Permítaseme explicar dicha afirmación. Primero, NO todos los ejecutivos coinciden con lo que hasta aquí hemos dicho y lo que vayamos a agregar. Un pequeño porcentaje es gente de verdad que mira su rol con desapego y humor, y aplica auténtica competencia profesional en lo que hace; de otro modo no quedaría ninguna corporación en pie, pues el ejecutivo del montón es casi un completo inútil, alguien más cercano al papel del cortesano obsecuente que al profesional activo y productivo.

Lo que digo se aplica al *rank and file* de la especie, al promedio. Es de estos últimos de quienes afirmo que dan la impresión de faltarles algo. Preciso: no de faltarles algo que por no tenerlo los haga imperfectos, sino de faltarles la imperfección misma, la precariedad de lo realmente vivo, la vacilación y dudas del ser humano de verdad. Suele ocurrírseme mientras hablo con ellos en los pasillos de una oficina, siempre disimulando lo mejor posible mi pánico ante su fluida complacencia y seguridad, que una vez terminada la jornada laboral, ya en sus casas, entrarán a un clóset y se colgarán de un perchero para desactivarse hasta la próxima jornada.

Sobre todo, me inquieta mucho su facilidad, su maestría para sonreír. Esa sonrisa manifiesta que, a su juicio, habitan el mejor de los mundos posibles, uno abierto al talento corporativo, a las ganas de progresar y al trabajo en equipo, en fin, un mundo maravilloso al que nosotros no perteneceremos jamás porque en nuestra notoria imperfección nunca seremos convocados, porque no sabemos nada de las cosas que importan, al punto de que jamás nos enteramos de cuál es el afeitado de moda, el modelo de zapatos y corbatas prevaleciente, porque se nos nota que no nos gusta respirar el aire espeso y detenido de las oficinas alfombradas, porque no ostentamos una perenne sonrisa, porque no sabemos percatarnos instantáneamente del humor y disposición del gerente, porque no profesamos ni declaramos amor por nuestra pega, porque no parecemos tipos decididos a hacer carrera en la empresa, porque no asistimos a todas las ceremonias debidas, porque no acudimos al *happy hour* con los jefes, porque nos vamos a casa a la hora y no después, porque nuestra voz no impone sus decibeles apenas abrimos la boca, porque nadie nos escucha digamos lo que digamos, porque somos invisibles y en definitiva unos pobres gallos.

A propósito, necesito respirar. Abandonemos ese espacio alfombrado, la presencia de ese escritorio con fotos de la familia donde el ocupante del cargo inevitablemente aparece en alguna escena de vacaciones con su prole y su señora. Salgamos a la calle. Salgamos a la inmensa confusión de la calle y topémosnos con el flaite.

EL FLAITE DURO

Los años noventa y posteriores vieron la aparición y desarrollo de una palabra nueva en la patética y paupérrima antología del habla nacional. Es esta: flaite. Pero aquí no nos ocuparemos de la expresión, la cual supone la existencia previa del fenómeno al que se bautizó de ese modo. Es esto, el fenómeno, lo que examinaremos, no la formación de la palabra, su cómo y su dónde. Tiene usted en sus manos un libro decente, no un acta de sesiones de la Academia de la Lengua.

De todos modos y para examinar dicho fenómeno necesitamos una definición previa que lo caracterice provisoriamente. Digamos entonces que el flaite es el roto reciclado, su versión contemporánea dotada de rasgos nuevos, muy distintos y hasta opuestos a los tradicionales. El flaite no es humilde, sumiso, respetuoso o temeroso de la ley y la autoridad, siempre cabeza gacha como su abuelo y bisabuelo; el flaite es al contrario un tipo parado en la hilacha, agresivo, bullicioso y absolutamente desprovisto de toda noción de jerarquía. Aun así es reconocible a primera vista, como lo eran sus antepasados, por su apariencia física, posturas, jerga, vestuario y facciones. Imposible confundirlo con un Mantequilloso o siquiera con un ejecutivo o hasta empleado de oficina común y corriente. Sigue siendo, en su antropología física, el roto quintaesencial retratado años ha como Verdejo o Condorito. Su cariz racial o étnico no ha variado. Sigue siendo un mestizo con 80% de «pueblo originario» y 20% de andaluz picante o viceversa, de baja estatura —aunque no tanto como antes, pues se alimenta mucho mejor—, cutis moreno o color té con leche, frente baja y huidiza, pelo grueso y negro, piernas arqueadas y peludas. Duro es decirlo, pero la pertenencia de clase de prácticamente todo chileno puede descubrirse fácilmente con solo examinar su apariencia física. Las clases, en Chile, se reflejan brutalmente en las etnias. El flaite, hijo y nieto de rotos, esto es, de los sectores ahora llamados «desposeídos», no puede disimular su condición así se ponga en manos de un sastre y de un peluquero de moda. Esto último es precisamente lo que hacen los futbolistas, flaites bien pagados, pero sin que las frenéticas cosmetologías a las que se someten puedan modificar su irremediable perfil original.

Sin embargo, aunque descansando sobre la base de esa condición biológica inmutable propia del roto de todos los tiempos, el flaite ha apilado rasgos nuevos, costumbres distintas y una postura ante la vida que desde cierto punto de vista es un notable progreso, a saber, una afirmación positiva de sí, un evaluarse con mirada más confiada. Desde otro punto de vista, desde el de las clases medias para arriba, el flaite es más bien una lamentable degeneración del tipo ya conocido, una elevación al cuadrado del roto de mierda de siempre. Ya no le bastaría con ser ignorante, grosero, sucio, deshonesto y flojo, sino ahora —piensan esas clases más elevadas— hace ostentación de todo eso como si fueran gracias y virtudes. El flaite se ha puesto hasta peligroso. Puede en cualquier momento provocarnos abiertamente en vez de, como hacía antes, escupir a nuestras espaldas en oculto, cobarde desafío. Nos encara y nos mira a los ojos. Desafía a la autoridad, al carabinero, al cura, al ministro, al caballero, a la señora. Y siendo agresivo amén de resentido, el flaite está siempre —sigue diciéndonos la gente bien— al borde de atacarnos, siempre dispuesto al vandalismo, a cagarse en nuestro antejardín, rayarnos los muros o el auto, asaltar nuestro negocio, cogotearnos a la primera oportunidad, saltarnos encima en patota. El flaite, además, pulula por doquier. Si no en persona, ha invadido otros segmentos sociales con sus costumbres. Ha «flaitelizado» hasta a chiquillos bien. Ha hecho de su vulgaridad un galardón, una bandera orgullosa, casi un signo de revuelta y lucha «contra el sistema». Ostenta su mal gusto, lo hace lucir. Etcétera, etcétera.

Seríamos unos cobardes y remilgados escritorzuelos «políticamente correctos», como los hay por centenas, si para evitar la furia escandalizada de las almas piadosas y progresistas dijéramos que NO, que todo eso es solo la caracterización mezquina e interesada que se escucha de labios de los cuicos. Mezquina e interesada puede ser, pero no necesariamente falsa. Me explico: el valor de verdad de una afirmación es independiente de los motivos que llevaron a formularla. Un mal motivo puede infundir sospechas y obligarnos a examinar con más cuidado lo dicho por el sospechoso, pero no a negarlo a priori. Hago esta aclaración en beneficio de lectores que sean poco dados a la lógica, pero mucho al exabrupto.

El flaite es, en efecto, una versión más agresiva y mucho más segura de sí misma que el roto de otrora. Hay entre él y su antepasado la misma relación y transformación que se observa entre el negro norteamericano de hoy y el esclavo de las plantaciones de Luisiana de mediados del siglo XIX. El rasgo central de ambos posiblemente sea la agresividad. Donde el roto —y el negro— de antes aceptaba resignado su situación en el mundo con solo ocasionales y brutales estallidos de rabia, hoy ambos rechazan cualquier indicio —de los que desgraciadamente su vida está llena— de ser todavía de los últimos de la escala social. Su resentimiento es por lo mismo constante, pero esta vez no se oculta y tampoco lo controlan los meros signos del *establishment*. La «pareja de carabineros» no es suficiente para suscitar en el flaite, como pasaba con su antepasado, una automática postura de sometimiento, respeto o miedo «a la autoridad». Si el flaite está de ánimo de rosca o desafuero solamente puede controlarlo la fuerza bruta que aplique dicha autoridad, no su sola presencia.

Hablamos en este último caso del flaite duro, del que vive en los límites mismos del mundo oficial y el prohibido, el que coquetea con o es ya partícipe de actividades delictuales, del flaite más bien joven y a veces apenas un cabro chico al margen de la vida escolar por deserción o falta de interés, del candidato a toda forma posible de vandalismo, del tipo de persona que uno prefiere evitar, el desaforado del estadio, el miembro de barras bravas, el ocupador agresivo de esquinas para el cobro de peaje, el destrozador habitual de lo que se ponga al alcance de sus patadas y su furia. Este flaite duro es criatura nacida en poblaciones de extrema pobreza, en la ciudad, en sus cordones de miseria y hacinamiento, pero hay variedades criadas en mejores condiciones capaces de manifestar formas más suaves de la misma cultura flaite. En su encarnación más diluida el flaite es menos un modo integral de ser que un estilo de comportamiento, el cual, teóricamente, está a disposición de cualquiera. En este nivel de quita-y-pon, el flaitismo viene siendo la versión contemporánea de la rotería y la vulgaridad, no una determinada personificación de algún tipo humano.

FLAITISMO SUAVE

Esta modernización de la rotería, la cual llamamos conducta flaite, es de tan reciente aparición como el flaite químicamente puro que encarna dicho comportamiento todo el tiempo y sin descanso. Y tal como dicha encarnación, se caracteriza por un desplante afirmativo que hace empalidecer la rotería común y corriente.

«Hacer una rotería» era, en el pasado, dar muestras de cierta carencia; era no tener modales, no tener consideración por los demás, no tener «roce», no tener un lenguaje adecuado, no tener respeto, no tener crianza. En fin, no tener. Se comportaba como roto quien no tenía conocimiento acerca de cómo se comporta «la gente». Pero si a quien se comportaba como un roto le faltaban esas cosas, por lo mismo le era posible adquirirlas. Quien era denunciado como protagonizando una rotería se sentía literalmente «en falta»; le había faltado lo necesario para no cometerla. Luchaba, entonces, para adquirir lo faltante y la próxima vez comportarse de la manera adecuada.

El comportamiento flaite es motivado por un sentimiento muy distinto. Es el caso opuesto al de la «rotería». En breve, el actuar del flaite no es resultado de algo que falta o falla, sino un acto positivo, voluntario, una «acción afirmativa» de quien así se comporta. Se valida a sí mismo por su intermedio y con ella se planta en el mundo como ser completo y legítimo. Más aun, se valida agresivamente hacia y contra el mundo, desafiante. En vez de ser muestra negativa, signo de algo que falta, es al contrario, dicho acto flaite, una voluntariosa negación de las reglas convencionales de conducta. Como mínimo, es una manifestación de total indiferencia a dichas reglas convencionales, a su sola existencia.

El comportamiento flaite viene siendo lo que Ortega y Gasset denunció, en su estilo cascarrabias y en su obra *La rebelión de las masas*, como el triunfo de la vulgaridad, entendido dicho triunfo no como el simple hecho de que predominen costumbres y gustos banales, sino además que pretendan imponerse, hacerse legítimos, considerarse iguales a cualesquiera otros. Doy un ejemplo algo burdo: si el flaite suelta un pedo no lo considera una vergonzosa violación de reglas básicas de convivencia y «buenas costumbres», sino lo asume con desparpajo como algo natural que tiene derecho a hacer cuando se le dé la gana y sin que eso merezca siquiera un comentario, o aun más, como algo que expresa su naturalidad, su personalidad, su desprecio por dichas reglas.

A propósito de eso, significativa resulta la actitud en relación a su trasero de quien asume conductas flaites. En tiempos remotos, hace treinta años o más, el trasero —«culo» para los señores veterinarios y/o para los roteques— era aquella parte de la anatomía humana que se asociaba a cosas vergonzosas, salvo en instancias lúbricas, en las cuales, como es sabido, todo se transforma e invierte. El trasero es aquella parte de la anatomía humana por donde salen los excrementos y se sueltan gases, ¿no es verdad?, de modo que era una parte del cuerpo a tratar con especial miramiento y rodeos. Hablar del poto, tratar del poto, mostrar el poto, que le vieran a uno el poto y/o hablar de retretes, caca, papel higiénico, etc., estaba prohibido; eran temas que solían suscitar incomodidad, sonrojo y vergüenza. Por lo mismo, solían ser tema de chistes cochinos y de parlería de niños. No se hablaba de eso delante de una dama, por favor.

Véase ahora la conducta flaite en relación con este delicado asunto. Amén de las funciones excretoras tratadas en el universo flaite con total desenfado, el culo se ha convertido en objeto de abierta exhibición. No nos referimos tan solo a su erotización en el conjunto del cuerpo femenino, al modo acelerado como ha ido adquiriendo predominio en el imaginario del encanto y la atracción sexual. En ese contexto el culo siempre ha sido, actual o potencialmente, un objeto erótico. Lo novedoso es que la exhibición voluntaria o involuntaria del culo importa poco o nada aun en otros contextos y además dicho afán o indiferencia por exhibirlo incluye ahora a los varones. Es más, el flaite corriente parece obtener cierto goce en el uso de una vestimenta cuya esencia es dejar al menos la mitad de la raja a la vista. Se goza además mostrando el calzoncillo. Disfruta, si anda con shorts y se agacha a lavar el auto, en mostrar medio culo. Hablo de flaites de todas las sensibilidades sexuales y además, atención, se trata de una exhibición que puede no tener ningún elemento erótico. No es solo cosa de mostrar el culo porque eso excite a su propietario, sino de hacerlo como rotunda provocación, muestra de desprecio, como bandera flameante de una inversión de valores así proclamada poniendo en primer plano lo hasta ahora considerado bajo y vergonzoso.

La conducta flaite, entonces, es en última instancia —aunque de modo inconsciente— la proclamación de un sistema cultural alternativo, uno que replica en la forma de grotesca caricatura lo que —con todas las variantes de época y lugar— ha sido el «ideario» de quienes se oponen al régimen social existente, sean reformistas, revolucionarios, idealistas, jacobinos, guerrilleros, anarquistas, predicadores, combatientes, etc. Como caricatura muy pedestre y grotesca de la totalidad de los escritos de Rousseau, ese culo al aire expresa el mismo deseo visceral por acabar con las jerarquías, las prohibiciones, los tabúes, las reglas, las convenciones y luego de hacer todo eso regresar al mundo feliz del salvaje inocente y bueno. Tanto la expresión ideológica más o menos refinada de los pensadores progresistas y sus seguidores como la elemental expresión flaite, el culo al aire, son a su vez frutos de una raíz muy profunda, muy humana, un deseo a menudo irresistible de soltar toda limitación, todo control, de regresar a la elementalidad, de dejar atrás la civilización.

Dicha tentación es especialmente fuerte en quienes, por origen, crianza y educación, o más bien falta de esta, no están de todos modos muy lejos de la barbarie; pero en ocasiones esa tentación también es muy poderosa en los más civilizados, en los que llevan una carga intelectual pesada y en quienes, por lo mismo, a veces buscan aligerarse de todo en esa elementalidad, en prácticas perversas, en repentinas caídas a lo más profundo de la letrina.

Pero son casos extremos; el poto como bandera y estandarte es un acto que pertenece a las filas del fundamentalismo flaite. El comportamiento flaite tiene muchísimas otras expresiones y no necesariamente tan desopilantes. Todas, sin embargo, revelan a poco andar y por superficialmente que se examinen, un cierto patrón común, cual es un ostentoso despliegue, a menudo agresivo y conflictivo, de los derechos, deseos, ventajas e impulsos personales aunque sea a costa del prójimo. A costa del prójimo, sin importar el prójimo. Eso es de su esencia, por la misma razón que la de los «modales» es, al revés, el tomar en cuenta las necesidades ajenas. La conducta flaite es entonces, por un lado, la que en su fealdad, vulgaridad, su carácter abusivo, agresividad y oportunismo revela ausencia total de sensibilidad por los derechos y preferencias de los demás; por otro lado, en su contenido, es un himno estrepitoso a lo sucio, feo, ordinario y ruidoso. El flaite se hace notar y quiere hacerse notar del peor modo posible, de todas las maneras posibles y cada vez que sea posible.

Flaites y/o personas proclives a conductas flaites son, hoy en día, legión. Es el espíritu de los tiempos. Cada quien, hoy, se cree con derechos absolutos, lo que es desde ya una poderosa tentación a no aceptar ningún límite. Eso lleva a validar la propia existencia en una versión feroz de individualismo. Dicho sea de paso, el ego así mimado y promovido, dueño de todos los derechos, los divinos y los humanos, suele ser de una pequeñez indescriptible. No se trata aquí de que asistamos al espectáculo ofrecido por grandes personalidades, por tipos como Julio César, por entidades psíquicas inmensas dispuestas a pasar por encima del mundo con el propósito de imponer su grande y elevada voluntad, sino de fulanos imperceptibles, mínimos, mediocres e insignificantes. Su voluntad, entonces, acarrea objetivos de la misma bajeza. El flaite está dispuesto a pisotearlo todo por hacer su voluntad en la más nimia cosa, para el más vulgar de los objetivos. Normalmente por dinero, propiedades, ganancias; otras veces por un segundo de fama o notoriedad, y siempre con brutal torpeza y desconsideración.

Amén de todo eso, el flaite, ya sea duro o blando, sistemático o intermitente, es infaliblemente un tipo que jamás hace la más mínima concesión al buen gusto. Esa es su primera agresión al medio en que vive. Si recorre el dial de una radio, de modo certero aterrizará en el programa más vulgar que esté siendo transmitido; si conduce un vehículo, pondrá su repelente música a todo volumen de manera que se le sienta acercarse ya a tres cuadras de distancia; si debe estacionarlo y no hay espacio en la cuneta, no trepidará en subirlo a la vereda, entorpecer el paso, aplastar jardines, quebrar árboles recién plantados y limpiar el cenicero frente a la puerta de casa donde se detuvo; si va al cine, se sienta poniendo sus patas cubiertas con ostentosas zapatillas en el respaldo del asiento que está adelante y habla y ríe lo más fuerte posible. Hay otros mil signos de su barbarie y algunos son de una extraordinaria bajeza y ordinariez. El flaite se mete los dedos a las narices a vista y paciencia de todos, se pedorrea a discreción, escupe gargajos con impresionante frecuencia, mea la tapa del wáter, siembra el baño de papeles, raya muros cada vez que puede, se rasca el poto abiertamente y no nos ahorra de manera alguna los signos y señales de su presencia.

Podemos, es cierto, evaluar todo esto desde un ángulo positivo. Podemos decirnos que dicha vulgaridad al menos tiene el mérito de la asertividad. Estratos sociales completos que en el Chile tradicional no se atrevían ni a abrir la boca, ahora abren sus nalgas y muestran el ano. Algo es algo. Podría decirse que, habiendo una base de energía y autoestima, es cosa de educarlos para que del flaitismo pasen a la civilización. Es posible. ¿Qué transición es muy estética? Volveremos al flaite más adelante y en otra de sus encarnaciones, el «chanta».

Operadores políticos

A diferencia de lo que sucedía en el pasado, la raza —ahora «elegida»— constituida por los políticos intriga, planea y ejecuta sus negocios públicos y privados no ya en clubes de caballeros —ni son caballeros ni hay clubes para estos—, sino en una gran variedad de nichos ecológicos. Lo hacen en oficinas públicas previamente colonizadas por las «sensibilidades» que han recibido tal o cual área del Estado como su coto de caza particular, en *resorts* y balnearios alquilados por el fin de semana, en sedes partidistas y en cenas «privadas» o hasta presuntamente secretas de cuyo contenido, incluyendo el menú, se encarga de inmediato de dar versión el primer hocicón del lote con acceso a la prensa. Con «políticos» entendemos la fauna de la que son parte funcionarios del Estado desde el nivel medio-alto hacia arriba, personal de La Moneda, ministros, subsecretarios, parlamentarios, dirigentes de partidos, funcionarios a jornada completa de estos últimos y los ahora llamados «operadores».

En otros tiempos, dicha raza presentaba menos mutaciones que en el presente. Eso se revela con claridad en el llamado «imaginario colectivo», expresión puesta a la moda por sociólogos exiliados que revalidaron títulos en La Sorbonne con *papers* relativos a la conciencia de clase de los tejedores indígenas de América Latina y otras materias por el estilo. Con ese vocablo hacen referencia a las imágenes que concitan en el pueblo llano tales o cuales palabras o conceptos. Ahora bien, la palabra «político» evocaba una —y solo una— imagen bastante solemne asociada a caballeros de sustancial presencia, hablar despacioso, cierta prosopopeya tribunicia y a quienes se los ubicaba en ningún otro lugar que no fuese una edificación con amplias escaleras, macizas columnatas, pesadas y enormes puertas de bronce, amplios anfiteatros y salones de actos. En breve, en el Congreso, en La Moneda, en un club de prestancia o quizás en las universidades inaugurando el año académico con una charla sobre Andrés Bello.

Hoy el panorama es distinto. Esos políticos de talante grave y los templos donde ejercían su oficio desaparecieron o se reconvirtieron, lo cual sucedió algo antes y algo después de 1973. Enseguida transcurrió un largo interludio. Podríamos

considerarlo como una glaciación, tras cuyo término la raza
pareció extinguida. No era tal, sin embargo. Los políticos
tienen mucha más resistencia que los grandes lagartos del
Pleistoceno. En calidad de reliquias, pero aún respirando, re-
aparecieron a finales de los ochenta, aunque no solos sino en
compañía de nuevos especímenes. Estos últimos son hoy los
más abundantes y se caracterizan por tener menor tamaño,
reptar pegados a la tierra y no desdeñar la carroña. Hablamos de los operadores. El nicho ecológico preferido de esta
nueva variedad es el inmenso, laberíntico, infinito territorio
ofrecido por la administración pública. Se han multiplicado
también en intendencias, municipios, ONG, medios de comunicación, directorios empresariales, empresas autónomas
del Estado y naturalmente en Codelco, tierra de promisión e
inagotable vaca lechera del aprovechamiento y las sinecuras.
En ese sentido han desarrollado las características propias de
una plaga. Es posible observar su existencia y depredaciones
en lugares donde nunca antes se habían presentado.

Sirva de ilustración un ámbito nuevo que estas criaturas
han colonizado recientemente, uno hasta no hace muchos
años desierto o más bien inexistente, a saber, el de esas cortes
en miniatura —llamadas «gabinetes»— con las que hoy se
rodean incluso simples jefes de departamentos del aparato
fiscal, esto es, en niveles burocráticos en los cuales en los
viejos tiempos no había nada siquiera lejanamente parecido
a la dimensión política más allá de los dos o tres abogados
de la fiscalía respectiva, ya al borde de la jubilación. En dichas cortes microscópicas los camaradas y compañeros que
las forman aparecen dotados —o disfrazados— de oficios
tales como relacionadores públicos, encargados de prensa,
jefes de gabinete y otras glamorosas nomenclaturas. Son,

básicamente, cargos políticos. Como mínimo lo son en el sentido de ser llenados por individuos que pertenecen al partido y/o sensibilidad del titular del cargo. Pero además son prebendas sin carácter administrativo, sino de gestión política. Están, dichos sujetos, solo para cuidarle el culo al jefe, realzar su imagen en el gobierno y/o con sus superiores políticos, amén de hacerlo aparecer presentable ante la ciudadanía en general.

Sin embargo, es esencial precisar que el operador político propiamente tal, ese cuya anatomía examinaremos aquí, se encuentra uno o dos escalones por encima de todo eso. En el plano de la maquinaria del Estado, el operador no es simplemente uno de los miembros de esa corte de enanos, sino su reyezuelo. Para más precisión, no cualquier reyezuelo sino aquel a cargo de un reino con cierto peso en el conjunto de la administración pública. Para calificar como tal, por sus manos han de desfilar recursos de importancia y/o manejar un personal de tamaño sustantivo. En otras palabras, debe existir algo valioso a lo que pueda «operar». Y por cierto, dicha operación política a la que está abocado consiste, en su meollo, en manejar esos recursos de tal manera que beneficien al partido o coalición gobernante en la forma del desvío de recursos, construcción de imagen, asignación de personal y puntos de apoyo para depredaciones mayores. El rol del operador consiste en usar los medios administrativos de tal modo que el principal o primer beneficiario sea no el Estado y por consiguiente la sociedad, sino el estado de cosas del gobierno vis a vis dicha sociedad.

Hay entonces, en el operador político, una mezcla muy particular de rasgos genéticos que se revelan a primera vista a quienquiera tenga habilidad fisiognómica suficiente como para detectar estas cosas, lo que no debiera ser tan difícil en un país tan social y étnicamente acotado como Chile. En concreto, el operador es una cruza bastarda entre burócrata estatal de nivel medio-alto y político de partido de nivel medio-bajo, con algunos genes recesivos provenientes de la burocracia partidista clásica y varios genes dominantes de las dirigencias políticas estudiantiles de los ochenta. Su período de adiestramiento práctico en las artes de la maquinación se celebró en medio de la atmósfera represiva pero ya en decadencia del pinochetismo, mientras en cambio su formación política doctrinaria, para no hablar de su cultura general, no se formó en parte alguna y es un cero a la izquierda. Finalmente su falta de escrúpulos lo acerca al gánster político del fascismo y el nazismo, y su desparpajo y predisposición a las trapacerías lo aproxima al tahúr de una casa de apuestas clandestina. Fuera de todo eso puede ser un tipo bastante decente.

El operador recuerda, en sus más brillantes momentos, a cierto personaje de la obra *Los intereses creados*, de Jacinto Benavente. Hay en ella un chico de buena familia, llamado Leandro, quien es gallardo y de buena pasta, pero está arruinado. Leandro desea casarse, por amor, con la hija del tipo más rico del pueblo. Con ese propósito su sirviente, Crispín, hará lo que sea necesario: trampeará, engañará, persuadirá y hará todo eso sin el conocimiento de Leandro para que así mantenga impoluto su elevado espíritu. Cosa similar hacen los operadores. Mueven recursos, desvían recursos, abusan de los recursos, disfrazan sus actos, disimulan sus maniobras y se ensucian las manos con tal de que su partido y/o coalición salga adelante en sus «grandes propósitos» sin que deba renunciar a su también elevado espíritu o siquiera elevada retórica. Esos grandes propósitos no son otros que llegar al poder o conservarlo.

Los operadores suelen ser desconocidos por el gran público, salvo cuando cometen un error y sus trapacerías saltan a los titulares. Su anonimato es fundamental para el cumplimiento de su tarea; es preciso que se desarrolle en las tinieblas por su naturaleza no siempre católica ni apostólica. De hecho, los operadores son criaturas ciento por ciento dependientes de las nuevas condiciones de opacidad que rigen hoy en la sociedad chilena detrás del discurso de la transparencia, razón por la cual no hubieran podido existir en tan grande escala en tiempos pretéritos. Además de eso, su existencia presupone los enormes montos de recursos que mueve hoy el Estado y también la manera como este se ha asociado con emprendimientos semipúblicos o privados para cumplir tareas que sobrepasan su capacidad administrativa. Es en medio de esta malla compleja y frecuentemente oscura que aparece la figura del operador.

Su rol fundamental, ya lo hemos dicho, ha sido y es captar y distribuir fondos para beneficio de sus patrones políticos. Dicha tarea puede adoptar el rol tradicional del monaguillo que pasa el cepillo bajo las narices de gente con dinero, empresarios y comerciantes, industriales y financistas, como también cepillar recursos públicos mediante procedimientos que han sido debidamente reporteados por la prensa cuando se supieron. Para todo eso no se necesita reclutar a un canalla de tomo y lomo. Al contrario, muy posible es que cuando se inició en esas prácticas el operador político no fuese sino un camarada común y corriente, con similar honestidad y escrúpulos que cualquier otro, pero —y este es un enorme «pero»— con acceso a las válvulas debidas; eso lo condenó a ser seleccionado «para el cargo», posiblemente al principio con remilgos y cargos de conciencia. Una vez cumplida la primera tarea, casi con toda seguridad ya la segunda vez le fue más fácil. En la tercera y cuarta no hubo problema alguno. Así llegó un día cuando la desvergüenza se convirtió en su segunda naturaleza y sin más ceremonias se doctoró como operador político.

El operador político, como sucede con el practicante de casi cualquier oficio, es hijo del tiempo y de la costumbre. Por pasos sucesivos, graduales, un hombre adquiere destreza y simultáneamente inconsciencia acerca del significado de lo que hace. De ahí que un tipo perfectamente normal pueda convertirse en un verdugo; del mismo modo, con irregularidades al principio casi imperceptibles, un honesto miembro del partido puede llegar a ser un operador desembozado, desvergonzado. En su fase evolutiva final, evaporado todo escrúpulo, normalmente este personaje dedica una fracción de su tiempo y recursos de poder y gestión para su provecho personal. Nada más natural que comience algún día a pensar en asegurarse una buena pensión y para ese fin le sirven las mismas organizaciones ad hoc que monta para succionar recursos del erario público con el propósito de financiar campañas o pagar ayudistas, pegadores de carteles o ralladores de muros. A veces las crea con su parentela o amigos, en otras solicita comisiones o bien puede reclamar bonos y pagos para satisfacer costos misteriosos. Los caminos del Señor son muchos e inescrutables.

Hay varias categorías de operadores. En el nivel más rasca, local, el operador político apenas se distingue —si acaso— de los matones de barrio que se alquilan en las campañas para aporrear a los brigadistas del bando contrario. En el más alto pueden incluso ostentar cargos en el gabinete y aparecer como políticos normales. En ambos casos, sin embargo, así como en todo el rango intermedio, estos personajes participan de cierto aire común que los aproxima entre sí, cual es un estilo escurridizo, astuto, la postura del depredador emboscado a la espera de su presa. Eso no impide que si son sorprendidos fuera de los matorrales instantáneamente demuestren y explayen un desparpajo asombroso.

En la cúspide de la cadena alimenticia de los operadores políticos se yergue actualmente —mientras escribimos este libro— la figura eminente de Francisco Vidal. Tan elevada, tan excelsa es su magistratura en ese oficio que casi trasciende dicha condición y desde luego está muy por encima de sus rasgos menos estéticos. Vidal es tipo inteligente, culto, de voz tonante, verbo fácil, atropellador, sanguíneo, simpático, de risa pronta y sin demasiados escrúpulos para cumplir con lo que considere necesario como tarea política. Su temperamento y postura energética, muscular, activa, voraz, gozosa en su fuerza, recuerda la de los *condottieri* del Renacimiento. Puede en un minuto volarle la cabeza a un adversario y al siguiente agotar un chuisco de tinto bebiendo con sus deudos y contar chistes de velorios y funerales. Vidal opera en el más alto nivel posible, desde el gabinete. No necesita ensuciarse las manos, pues aunque lo suyo no es «alta política», sí es política de arriba, la que se hace en La Moneda, la de más alto orden dentro de su especialidad. Vidal es un técnico, no un teórico. Por lo mismo, no es hombre de doctrinas. Es de dudarse que haya llegado a ser miembro de la Concertación luego de encerrarse en una biblioteca a estudiar a los clásicos del marxismo y del socialismo y constatar si lo convencían. No tiene temperamento ni paciencia para las disquisiciones palabreras ni la tiene con los llamados «intelectuales» de izquierda, normalmente una alicaída, aburrida raza de repetidores de clichés decimonónicos, como tampoco la posee con los académicos. Es de la clase de personas que se concentra en una y solamente en una idea que le parece del todo evidente y a ella dedica su considerable energía. En este caso, el *leitmotiv* de Vidal, su idea fija, es que la Concertación es lo mejor que puede y debe pasarle a Chile, por lo cual está dispuesto a preservarla como sea. Si hay un hombre en el gobierno, sépalo o no, que sea discípulo de Macchiavello, es Francisco Vidal.

LOBBYSTAS

Otro de los habitantes del centro, sitio donde se encuentra el corazón de la administración pública, siendo por tanto su territorio natural, es el *lobbysta*. Dicho sea de paso, quizás la categoría zoológica representada bajo esa denominación debiera ser incluida en la sección anterior dedicada a los operadores; después de todo, ejercen una práctica similar y/u ofrecen a la observación una serie de rasgos que los acercan uno al otro, principalmente una notoria carencia de escrúpulos. Sin embargo, hay diferencias que imponen tratamiento aparte. La principal es que, amén de los rasgos o cromosomas del operador, ya descritos, el *lobbysta* suma un fuerte componente de emprendimiento privado. Al revés del operador, quien trabaja solo y para una corporación política, el *lobbysta* químicamente puro es un *freelancer*. O para decirlo más brutalmente, un mercenario. No tiene ya —aunque alguna vez tuvo— un cargo en el gobierno. En términos ideales, tampoco es congresal. Lo que sí debe tener para cumplir con su faena es una nutrida agenda de conocidos y amigos en dichos cargos. Se presume que como resultado de una larga y previa carrera política posee contactos múltiples, abundantes amistades o compadrazgos, infinidad de camaradas y cómplices.

Eso, sin embargo, sería del todo insuficiente para hacer a un buen *lobbysta* si no va acompañado por una disposición anímica que pudiéramos describir, quizás de modo algo esquemático, como una enorme y generosa flexibilidad ética para reinterpretarlo todo del modo más conveniente. Es claro que el atenerse a una agenda valórica personal o colectiva dificulta el recibir encargos. Se «encarga» algo precisamente cuando un trámite oficial, esto es, celebrado de acuerdo a los procedimientos y normas prevalecientes, no produce resultados. Por consiguiente, el *lobbysta*, como un buen abogado, no puede ni debe hacerse muchas preguntas acerca de la legitimidad de la presión o influencia que se le pide ejercer. En el más estricto sentido ha de verse a sí mismo como un técnico que despliega sus facultades y saberes, sus contactos y amistades para lograr una meta de cuya evaluación no ha de pedírsele cuentas; eso es tema y problema del cliente.

En la realidad, tan brutal desvinculación del aspecto ético no llega a ese extremo. Los *lobbystas* tienen corazón, como cualquiera. No han sido creados en un laboratorio, sino provienen de alguna «sensibilidad». En su juventud han profesado ciertas ideas, tienen amistades en determinados círculos, han vivido una historia personal indisolublemente ligada a tal o cual ideología o credo. Eso inevitablemente los dota de algunos escrúpulos de los que no es fácil deshacerse u olvidar por una mera cuestión de dinero o poder. Hacerlo requiere gran energía espiritual, disposición a sufrir una larga noche en el monte de los olivos, desgarros y agonías. ¿Y quiénes están dispuestos a tanto?

En fin, aunque con dificultades y esfuerzos, los *lobbystas* son precisamente quienes están dispuestos a hacerlo y lo han hecho. Para esos efectos, el verdadero *lobbysta* hace como Cicerón, el famoso abogado romano del siglo I a. de C., quien antes de diseñar una defensa jurídica se sentaba de cara frente a un muro hasta persuadirse de las buenas razones que asistían a su cliente. Recién entonces, convencido, podía preparar su caso. En muchas ocasiones, para el *lobbysta* el problema es más sencillo. Normalmente ha hecho ya más de la mitad de dicho trabajo espiritual frente al muro aun antes de dedicarse a su nueva profesión; lo ha cumplido en sus años de política activa, en el período de reciclamiento acelerado a que dio lugar el regreso de la democracia. En esos años, si era de izquierda, tuvo sobrado tiempo para convertirse en socialdemócrata, signifique eso lo que sea. Quizás signifique que comenzó a creer un poco en el mercado, la libre empresa y el Estado de Derecho burgués, desechó sus utopías o las convirtió en sensibilidades, se acostumbró a la buena vida, a ingresos superiores y a la paz entrañable que deriva de no querer ya cambiar el mundo ni asaltar el cielo. Pero si el *lobbysta* era de derecha, entonces nunca necesitó hacer nada de todo eso. Un hombre de derecha siempre ha sabido dónde se hallan sus más profundos y permanentes intereses. Jamás será desviado y ninguna tentación lo alejará de ellos. En pocas palabras, nunca dejará de tener claro en su mente y en su corazón dónde se hallan la propiedad y el dinero.

Dinero… ¡Qué poderosa es su influencia, cuánto puede cambiarnos, de qué no puede persuadirnos y/o hacernos olvidar! Sin duda es el más fuerte de todos los posibles motivos de la acción humana. No hay nada que lo resista. La comodidad, seguridad y goces materiales que el dinero hace posibles carcomen cualquier otra pasión que sea sostenida solamente en el pensamiento o la buena voluntad. Tan cierto es esto, tan a la vista de quienquiera que no sea ciego, tantos millones de pruebas ya existen que debiera ser innecesario acopiar siquiera una más, pero para ejemplificarlo majaderamente con el caso que nos ocupa, permítanme que les recuerde la procedencia de muchos *lobbystas* que pululan en los corredores del poder. ¿No son ex miristas, ex socialistas, ex marxistas, todos ellos alguna vez creyentes absolutos en el hombre nuevo, en la revolución y en el socialismo?

No digo esto como reproche. Nadie esperaría, yo incluido, que hombres y mujeres de cincuenta y sesenta años o más siguieran comulgando con las monumentales ruedas de carreta que ingurgitaron en su época de adolescentes y de jóvenes, en esos tiernos años cuando iniciaban sus carreras políticas vociferando en escuelas y facultades, cuando estaban haciéndose un nombre como idealistas a jornada completa y ostentaban pálidas, demacradas caras de románticos consuetudinarios. Nadie lo esperaría. En verdad no esperaríamos de ellos sino únicamente lo que le sucede a cualquier persona medianamente inteligente con el transcurrir del tiempo, a saber, un creciente escepticismo, una relativización de lo que se sostuvo de joven, un descreimiento en las capacidades humanas para emprender algo de gran calibre, una pérdida de ganas, cierto abatimiento; lo que NO se espera es el ágil salto acrobático que aterriza al decatleta del oportunismo en exactamente la postura contraria. Lo que no se espera es que de soñador en una sociedad justa se pase a la condición de fenicio complacido o «autocomplaciente».

Bien, ocurre que quizás precisamente ellos, los *lobbystas* de dicha procedencia, no son «medianamente inteligentes» sino mucho más que eso. Solo nosotros, los medianamente inteligentes, quedamos a medio camino entre la ilusión y la recomposición; ellos en cambio dan varios pasos extras y convierten su desilusión en una actividad lucrativa. De hecho, con los *lobbystas*, tan magnífica transformación se ha dado a una escala mayúscula. Se han recompuesto en grande. Porque, perdónenme, no creerán ustedes que intentan ejercer influencia a propósito de naderías. Lo que está en juego, cuando se alquila a uno de estos señores, es dinero serio. Hablamos de millones de dólares. Por lo mismo, es gente cara. No mueven ni el meñique por menos de un porcentaje sustantivo o una suma alzada equivalente a toda la vida de trabajo del ciudadano de a pie.

Quizás el más egregio *lobbysta* profesional de la actualidad sea don Enrique Correa. Ex ministro de Estado de Patricio Aylwin, reúne en su persona las más destacadas e insignes cualidades del *lobbysta*. Su capacidad para infiltrarse, escurrirse y deslizarse por los pasillos del poder es sorprendente. No hay lugar al cual no tenga acceso. ¿A quién no conoce de los círculos de la Concertación y del Estado? ¿Quién le niega entrada? ¿Quién le cuelga el teléfono? ¿Dónde no aparece? ¿A quién no aconseja? Pero infiltrarse es solo uno de sus talentos. Es el estilo como lo hace el que vale. Correa no solo se infiltra, sino una vez infiltrado parece haber estado siempre allí donde llegó, haber sido siempre miembro del club o la asociación, amigo y acólito de toda la vida del arzobispo de Talca o del presidente de los empresarios metalúrgicos. Y es desde esa posición, desde esa postura de parecer miembro del grupo, como desliza sus consejos, sus astucias, sus estudios.

A propósito de arzobispos, don Enrique tiene un notorio aire eclesiástico que sirve maravillosamente a sus propósitos. Pero debemos precisar: no el aire grave del Gran Inquisidor o del Papa Pío XII, sino el talante obsequioso y servicial del curita de las películas picarescas italianas de los años cincuenta, el buen fraile arreglador de entuertos que agacha cabeza y se sonríe de medio lado, el casamentero, el perdonador, el que habla con los labios muy húmedos, se restrega las manos y halla siempre un modo de conciliar a Dios con el Diablo. Pero ojo con tanta flexibilidad, pues es mera apariencia. Es, a lo más, un protocolo social para debilitar defensas, allanarse el camino y conseguir posiciones de ventaja. Tras tanto gesto deferente y hasta humilde se agita, mantenida a la fuerza por el puño de hierro de la conveniencia, una arrogancia y soberbia intelectual luciferinas. De tanto oír decir por ahí que «Enrique Correa es un tremendo analista político», el hombre se lo ha creído más allá del punto en que aún es sano creer en esas cosas. Correa ha puesto oídos a las trompetas de la fama y el rumor de las muchedumbres y como consecuencia de eso se ha quedado sordo a los argumentos ajenos, aunque muy posiblemente dicha creencia sea funcional a su trabajo. Un personaje que se gana la vida ofreciendo consejos y asesorías necesariamente ha de suponer que aquellos son valiosos, lo cual a su vez presume que posee la verdad, solo la verdad y nada más que la verdad. Ha de hablar ex cátedra o se acaba el negocio. Por lo mismo, tras la aparente humildad ha cultivado —y se refleja en su fisonomía— un aire de sonriente y meliflua astucia, la actitud de quien es el único enterado de un secreto o información trascendental.

Los *lobbystas* no le gustan a nadie, pero se han hecho necesarios. En su inmensa ignorancia, el congresista promedio requiere con urgencia que se le sople de qué trata el asunto a legislar, no importa mucho si a favor o en contra. Además, no hay ya lineamientos doctrinarios que guíen el pensamiento; todo se ha hecho opaco, ambiguo, confuso. Peor aun, apenas hay tiempo para estudiar, suponiendo que los honorables tengan la destreza necesaria para leer y entender lo leído. En cambio, ¡qué claro, qué nítido, qué conveniente que le digan «vote de tal modo y mi cliente sabrá agradecerlo»! ¿Hay algo más específico, más transparente? El trato, además, va acompañado de papelería, folletos ilustrativos, argumentos técnicos y jurídicos. Para eso, para la sofistería interesada, no hay siquiera los límites que pone la lógica o el simple sentido común. ¿No han habido intereses madereros argumentando que la mejor manera de conservar la salud de un bosque es talarlo entero? Y dicho fantástico, impresionante argumento, fue acompañado de gráficos y cuadros estadísticos firmados por profesionales del área.

Los *lobbystas* son entonces necesarios. Permítanme agregar lo siguiente: un argumento interesado es mejor que ninguno. Y no por interesar o convenir a alguien es necesariamente falso. Más aun, los temas a tratar son a veces tan complejos que la concurrencia de *lobbystas* puede prestar al asunto alguna racionalidad. Es tal vez el signo de los tiempos que sean ellos, los mercaderes de ideas e intereses, los que terminen representando, en un congreso y clase política poblada por bailadores de salsa y septuagenarios agotados, una mínima dosis de razón aunque sea interesada, sesgada, alquilada.

BARRIO ALTO

Partamos con el Cabeza de músculo...

Hablé en una sección anterior de esos ejecutivos que trotan inmóviles, en una esquina o en un cruce, a la espera del cambio de luz del semáforo. Pude haber dicho que es un espectáculo especialmente frecuente en ciertas avenidas y parques del barrio alto, pero lo dejé para esta sección. Pues bien, ya estamos en ella. Aquí es donde examinaremos con más detalles al Cabeza de músculo.

Reconozco muy posible haber tocado el tema del deporte, la gimnástica y sus cultores en algún otro libro. No sería raro, pues el énfasis que se pone en esas actividades tiene al menos un par de décadas y quizás más. Aun así, merece tratamiento adicional pues solo hoy ha alcanzado plena madurez. Nos referimos al actual y desorbitado culto del cuerpo, del *fitness*, del «verse y sentirse bien», lo cual no debiera confundirse con el antiguo cuidado corporal. No se lo imagine como la versión contemporánea del *mens sana in corpore sano* o como algo similar a la actividad gimnástica de los griegos de la era clásica. Los objetivos, los motivos, las filosofías involucradas son totalmente distintos. Los jóvenes griegos que iban al gimnasio lo hacían como parte de su educación cívica; se ejercitaban para cumplir un deber colectivo, cual era el de prepararse para el combate. El ciudadano-soldado debía estar físicamente capacitado para portar escudo, lanza, casco, coraza y batirse mano a mano con otros ciudadanos-soldados de igual forma preparados. Adicionalmente, buscaba alcanzar un estado de armonía espiritual, balancear su preparación intelectual con un soporte físico vigoroso, lograr así la serenidad de una suprema visión del mundo. Ningún joven griego educado fue alguna vez a la palestra para tan banal objetivo como desarrollar porque sí pectorales, muslos, abdominales, tríceps o bíceps.

La actividad física que se vende hoy en los gimnasios comerciales a una abundante clientela tiene una meta completamente distinta a la de esos griegos del pasado. No responde a una necesidad de la polis, a un deber cívico, sino a un anhelo personal, individual, egotista y narcisístico. E incluso más, aun dentro de ese estrecho ámbito personal no tiene en absoluto como fin el equilibrar por el lado físico fatigosos ejercicios espirituales de modo de alcanzar un todo armonioso. No se va hoy al gimnasio para obtener armonía, sino al contrario, para ensimismarse de manera desequilibrada en una sola cosa: incrementar la belleza y/o el poder animal del cuerpo. Es entonces un acto cuyo único referente es el espejo de la casa y el del gimnasio. También, si es posible, la presunta y esperada mirada ajena, la admiración ajena, el deseo ajeno. Es, a fin de cuentas, un culto a la materia, al organismo en sí mismo y por sí mismo.

¿Qué puede haber de malo en eso? ¿Por qué los consideramos en esta zoología? ¿Por qué no los dejamos en paz? ¿A quién le hace daño el Cabeza de músculo?

Juro que lo dejaría en paz y no lo tomaría en cuenta si esa obsesión fuese una cuestión meramente privada de no más consecuencia pública que coleccionar estampillas. Pero no lo es. Este culto se hace presente e influye y forma o deforma los valores e inteligencia de la sociedad mucho más de lo que parece. Por grados sucesivos construye una imagen o modelo acerca de qué es o debe ser la «buena vida». En breve, es parte constituyente de este Chile cuyos roles estoy enviando a la chucha. Se proyecta en el conjunto de la sociedad y de la cultura con toda la fuerza de su primitivo impacto emocional, su llamado a los instintos, su inevitable asociación con lo gregario, su vanidadególatra, su convocatoria al despliegue de la fuerza bruta, a la apetencia carnal químicamente pura y a la atracción instintiva que ejercen en muchos las aglomeraciones y el estrépito de los gimnasios. Hay asociado con él una forma de ser, un estilo de vida, una cierta psicología. El Cabeza de músculo no es solo una persona con ciertos gustos, sino un poderoso modelo cultural. No es casual que las sociedades de masas de carácter totalitario hayan hecho siempre tanto hincapié en el deporte y sus cultores, en los héroes del bíceps. No es por azar que dicha actividad convoque muy especialmente a las personas con más inclinación por el uso y abuso del físico, a los ruidosos somatotónicos de este mundo. No por casualidad la cinematografía nazi se deleitó con el espectáculo de fornidos «arios» celebrando proezas físicas. En fin, no por pura coincidencia se creó el término Cabeza de músculo.

El Cabeza de músculo ciertamente es un caso extremo, un «tipo ideal». No toda persona que se preocupa de su estado físico —por razones de salud— es uno de ellos. Yo mismo, una vez cada quince días, doy una vuelta a la manzana, aunque caminando despacio. Pero es un extremo al que puede llegarse con facilidad y con todas las consecuencias de descerebración progresiva y después galopante asociadas a él. El ejercicio corporal es adictivo. Físicamente, libera hormonas o fluidos que producen bienestar; psíquicamente, presenta al cultor tareas que puede cumplir y da por lo mismo una grata sensación de logro. Por ambas razones, lo que puede comenzar como una laudable preocupación por mantenerse en un decente estado de salud, con mucha facilidad deriva de esa condición de medio para un fin a la de un fin en sí mismo. Y entonces el tiempo dedicado al gimnasio comienza a prolongarse, la media hora inicial se convierte en dos horas, la visita semanal pasa a ser visita diaria, las idas a la balanza y los exámenes en el espejo se multiplican. Y un buen día el ciudadano inicialmente solo preocupado de bajar algo de peso y de evitar un infarto se transforma en habitante vitalicio del gimnasio. Se convierte en Cabeza de músculo.

Este culto al físico es resultado, pero también agente causal, de una cultura consumista centrada en grado superlativo en la apariencia. El hombre y mujer exitosos han de ser o parecer jóvenes, saludables, bellos, atractivos y sexualmente interesantes. De esos valores depende una inmensa industria farmacéutica centrada en productos que realzan, preservan, rejuvenecen y embellecen, amén de una no menor industria del vestuario y la moda, de estilos de vida, etc. Más aun, de ese hombre y mujer físicamente radiantes, hijo o hija predilectos del gimnasio y el *spa*, se espera que esparza y comunique dicha energía vital y muscular en su lugar de trabajo, que con entusiasmo redoblado haga suyos los objetivos corporativos y los mezcle con su ardiente sangre deportista. Y al hacer suyos de modo tan íntimo dichos valores se espera de él, en términos más generales, que sea intrínsecamente un «integrado», un creyente ardoroso del mercado, del consumo, del *mall* y el automóvil, de la decoración a la moda, de la vida al aire libre y de las viviendas vacías de libros pero con una gran pantalla de plasma.

Es, entonces, el Cabeza de músculo y el candidato a serlo, algo más que un fulano con ciertas disposiciones y gustos; es un arquetipo. Se nos ofrece a la vista como un modelo de la «buena vida» a seguir. Dicha oferta aparece empaquetada como atractiva mercancía que valdría la pena adquirir. A veces lo hace desde esa vitrina virtual que son los ventanales a la calle de los institutos, a través de los cuales y a la pasada podemos ver el espectáculo de una horda de zombies haciendo sincronizadas piruetas al son de alguna pieza de rock o de salsa. De algún modo nos están invitando. Se nos aparece también en la publicidad, inevitablemente poblada por mujeres y hombres jóvenes y bellos. Se nos hace presente en la TV, donde las teleseries, las comedias, los *reality shows* y los programas de farándula no permiten otra presencia que la de la belleza y la juventud. Todo o casi todo producto ofrecido hoy en día se asocia con exactamente lo mismo.

Demás está decir que el Cabeza de músculo, habiendo ya gastado su tiempo y energía en el culto de su cuerpo, tiende a ser un personaje poco dado a la reflexión o meditación. ¿De qué habría de reflexionar si ha alcanzado el paradigma absoluto de la felicidad? La reflexión es mala cosa y a menudo nace de un sentimiento de carencia. Eso es lo que lleva a hacerse preguntas, las cuales, a la pasada, pueden sabotearlo todo. La «sociedad de mercado» se basa en el continuo girar de las ruedas del consumo, lo cual equivale a decir en una incesante apetencia; esta, a su vez, solo se sostiene en el impulso comprador. La reflexión lo destruiría. La adquisición, el consumo, supone dar libre tránsito a la tentación nacida del estímulo. Bastaría preguntarse «¿para qué?» para neutralizarlo. Y cada hora en el gimnasio es una hora menos para interrogarse. Nadie jamás ha puesto entre paréntesis un sistema de valores o una idea preconcebida mientras estaba levantando pesas.

El Cabeza de músculo o el fulano o fulana en camino de serlo es entonces el ciudadano ideal de la sociedad de mercado, su más elevada encarnación aquí en la Tierra, un ser perfecto en alma y cuerpo. Por esa razón tiende a pulular en el barrio alto. Allí viven quienes tienen recursos suficientes para pagar un gimnasio y la clase de personas que con más probabilidad son parte de la cultura consumista.

En fin, el Cabeza de músculo conoce solo dos estados sistémicos: están contentos durante y luego de su ejercicio o están dormitando. *On* y *off.* En *off* dormitan en sus pisos de soltero frente a una pantalla encendida y a la espera del próximo panorama que los va a sacar de su domicilio. Esperan ese telefonazo que los convocará a alguna actividad social, al cine en compañía, a un encuentro romántico en el restaurante de moda, a las carreras de autos o de caballos, a un concierto rock, a un bar, al *happy hour*, a una venta especial de trasnoche, a una fiesta en casa de amigos, a un viaje, a las compras, al *sale off*, a adquirir el último *gadget* electrónico, a chatear en *Facebook*.

RECORRAMOS AHORA EL BARRIO…

Dejemos en *off* al Cabeza de músculo y centrémonos ahora en su hábitat, donde comparte espacio con otras criaturas. Su nombre, el «barrio alto», era una expresión con sentido muy claro cuarenta años atrás. Indicaba un área de fronteras visibles y reconocibles. Se refería a las tres comunas (Providencia, Las Condes y Vitacura) que en los sesenta reemplazaron a

Ñuñoa como residencia de la gente linda. Sustituyeron no solo un espacio por otro, sino un modelo de clase alta por otro. En esas tres comunas se instaló una clase alta más heterogénea que la conocida hasta entonces. De hecho, varios de sus estratos más bien deberían definirse como clase media-alta, la cual fue en sí misma un fenómeno bastante nuevo. Se apoyaba en un desarrollo sostenido de las profesiones y el comercio. Los segmentos menos ricos de esa clase media-alta emergente se instalaron en *bungalows* normalmente erigidos en masa, pero de calidad; los más ricos, la verdadera clase alta, habitaron mansiones de considerable calibre situadas en sectores especialmente costosos de esas comunas.

Hoy el esquema urbano es enormemente más complejo y muy difícil de trazar en un mapa. Incluso categorías como ricos y pobres, medio pelo, clase media emergente, etc., no son capaces de representar la complejidad del actual tejido social. Simultáneamente, la ciudad ha crecido tanto que en su aglomeración indefinida hace aun más difícil trazar límites precisos y hablar de «barrio alto». Usaremos esa expresión, de todos modos, a falta de otra más precisa, para denotar la totalidad del sector de Santiago abarcado por comunas como las tradicionales Providencia, Vitacura, Las Condes, las áreas renovadas de estas y ahora también entidades totalmente nuevas como Lo Barnechea y La Dehesa.

Amplia como es la denominación, amplio es también el rango de gente que abarca. Aun dentro de una sola comuna —Providencia es un buen ejemplo— la complejidad de la actual estructura social, los cambios históricos y demográficos acaecidos en los últimos años, produjeron extraordinarias transformaciones en el perfil de sus habitantes. A veces de una cuadra o sector a la cuadra o sector siguientes, todo se modifica. Algunos barrios han sufrido un deterioro traducido en la proliferación de un comercio de poca monta y departamentos ocupados por oficinas profesionales de mediana categoría, por bodegas o talleres; otros muestran hileras de antiguos chalés abandonados por las nuevas generaciones y hoy habitados por gente muy mayor, jubilados o retirados cuya parentela espera con ansias el momento cuando fallezcan para vender «los paños» a las constructoras; en algunas secciones de Providencia innumerables edificios de departamentos dan cobijo a profesionales jóvenes de ambos sexos que gustan hacer vidas independientes. La variedad de cohortes demográficas, estilos de vida, arquitectura, niveles de ingreso, etc., es enorme.

¿Qué hay entonces de común entre tantos tipos de personas y circunstancias, entre ancianos viviendo en casas sobre las que ya han puesto un ojo codicioso familias y desarrolladores inmobiliarios y jóvenes que empiezan sus vidas en sus propios departamentos adornados de acuerdo a las últimas tendencias? ¿Y qué hay de común entre esas variedades humanas de Providencia y los habitantes de La Dehesa? ¿Qué podría unir o acercar al rico propietario de una mansión de tres pisos erigida en cinco mil metros cuadrados de jardines con la abuelita viviendo de un montepío y un departamento de dos piezas en Antonio Varas?

Los une o acerca una sola y fundamental cosa: todos, desde los que están en el umbral mismo de esa pobreza que se disimula tras muebles y aperos de mejores tiempos —¡pero qué pobre ya la mesa, la pitanza diaria, qué difícil conseguir esos remedios!— hasta los nuevos ricos que se atrincheran en los más alejados barrios caros de Santiago, todos son por igual parte integral del sistema, miembros de número —aunque se hayan empobrecido— de la sociedad oficial y sus valores; son lo que se denomina «la gente decente», ciudadanos de los que uno no espera un escupitajo, un carterazo o un insulto y con los que nos codeamos tranquilamente en los *malls*, son la indistinta clase media y/o media-alta que no ha llegado recién a esa condición sino que es hija y nieta de la clase media. Es el país oficial que paga impuestos, ha tenido o tiene trabajos estables, ha sido educado en colegios privados o públicos de buen nivel, vota en las elecciones y lee *El Mercurio* los domingos. Es la clase social que los comunistas llaman «burguesía» y «pequeña burguesía». No son los únicos chilenos que tienen esa condición, pero sí lo son todos quienes viven en dicho barrio alto.

Esta disquisición cobra más sentido si consideramos que en los actuales tiempos esa cualidad de «ser parte de la sociedad» no es automáticamente presumible. Antes sí. Desde el patrón de fundo al gañán, todos eran miembros de la misma patria. Entre las relaciones más intensas se contaba la que unía, en una correlación de clientelismo, al pobre con el rico, al peón con el patrón. Hoy, en cambio, la división entre ricos o siquiera entre los que tienen la nariz fuera del agua y los que se han convertido, en la jerga actual, en «desposeídos», es abismal y a menudo infranqueable. Como efecto de eso los pobres, los de abajo, son o tienden a ser parte de una sociedad distinta, opuesta, en guerra con el mundo oficial y su aparato cultural e institucional. Y es una separación que ha adquirido expresión urbana. Al cruzarse las fronteras que van del mundo social oficial al del pobretón, al de los «pobladores», lo hacen dos universos no solo apartes sino opuestos, distintos, en pugna, en guerra larvada. De ahí que tenga sentido llamar de algún modo particular al espacio donde viven los integrados, ya sean ciudadanos ricos y no tan ricos, medio arruinados o en carrera hacia el éxito, empezando o terminando sus carreras, pero todos igualmente partícipes de la inmensa mayoría de los valores «burgueses».

Es de todos modos, el «barrio alto», un espacio heterogéneo. Heterogéneo y vacilante. Salvo sus sectores más acaudalados, el «pequeñoburgués» promedio del barrio alto experimenta un destino incierto que lo obliga a vivir permanentemente en un estado de angustia declarada o en sordina y a la que a menudo combate con antidepresivos. Es, en la mayoría de los casos, un ser completamente dependiente y endeudado en un 150%, salvo que sea jubilado y viva entonces independiente pero endeudado al 300%. El primero es lo que es en su calidad de empleado de otros, de quienes su suerte y carrera dependen. Vive en un mundo en el que controla muy pocas variables. Vive repleto de deudas para mantener su condición, los dividendos de su vivienda hipotecada o para pagar la renta, las cuotas de su auto, la colegiatura de sus hijos, el instituto o *spa* al que asiste su mujer, las vacaciones en un lugar aceptable, su vestuario, en fin, muere todos los días por seguir viviendo mañana de acuerdo a un estilo de vida que debe al menos flotar al nivel de la decencia decorosa. De ahí que su experiencia vital, el tono espiritual que lo aqueja de la noche a la mañana, es una trenza donde se retuercen y asocian la ansiedad, la angustia y el miedo.

Hay entonces, en el barrio alto, salvo en los sectores más encopetados donde sus habitantes desbordan marejadas de complacencia, un aire de nerviosidad al borde de la histeria, de una angustia que no ha podido sofocarse a tiempo con los medicamentos indicados; hay una imposibilidad casi física de mantenerse en reposo, de simplemente estar presentes.

El barrio alto es el espacio urbano del movimiento perpetuo. Con excepción de sus octogenarios, sus habitantes no pueden quedarse en paz. Hay un movimiento anheloso de quien se mueve en busca de algo, incapaz de encontrar paz donde se halla, un ir y venir desde y hacia un espejismo que desaparece apenas se acerca a él. Por eso sus calles y avenidas no descansan jamás, sus *malls* no conocen la soledad, sus cafés están repletos, se acude a incesantes comidas, se sale en atropelladas carreras y se acelera el auto mucho más allá de lo permitido en fuga hacia ninguna parte.

Literatos...

Es posible que haya incorporado como propia del barrio alto a esta especie animal, la de los literatos, debido a un fenómeno quizás no tan reciente pero que, como otros, ha alcanzado su madurez plena en los últimos cinco años. No tengo datos duros al respecto, solo una tincada y la información suelta, dispersa, que aportan amigos y conocidos, pero es mi convicción que el fenómeno del «taller literario» ya no es hoy una curiosidad, sino una industria muy desarrollada y principalmente localizada en dicho sector de Santiago. O al menos en él habita su clientela.

Todo comenzó, si no recordamos mal, como una suerte de variante letrada de las sesiones de canasta, té y galletas de soda de algunas señoras de sociedad. Sucedió en los años sesenta y setenta. Hablo de damas que al llegar a la edad de la menopausia se sorprendieron gratamente con el hecho de que en medio de sus molestias físicas y sus bochornos sufrían también inquietudes espirituales, inusitados pruritos y pujos literarios. Entonces acudieron a la casa de algún escritor de moda y le pagaron por su paciencia, la paciencia que se precisa para oír los patéticos cuentos o intentos literarios de sesentonas que jamás antes habían tomado la pluma, salvo para redactar tarjetas de Navidad. Se entendía que el escritor remunerado las asesoraría para corregirlas, pulirlas, animarlas, desasnarlas.

Si acaso alguna escritora de verdad salió de dichos talleres poco importa ahora y ni siquiera fue relevante para las propias clientes; les interesaba pasar el rato, conocer gente, hacer amigas y con algo de suerte conseguir amantes. Por tanto, el dinero estuvo bien empleado. Lo que es indudable es que los talleres frecuentados por estas señoras le otorgaron al oficio cierto lustre extra al que ya le daba la página dominical del suplemento de *El Mercurio*, por entonces presidido por las columnas críticas del intolerable, poco cristiano, castigador, vanidoso y arrogante fraile dedicado entonces a ese oficio. En el siglo XVIII y XIX fueron los literatos los que asistían a los salones de las «preciosas ridículas»; en el XX fueron dichas preciosas las que me metieron sus narices en el salón pasado a café, cigarrillo y olor a sopapo de los escribanos. El efecto fue el mismo: un *aggiornamiento* de la literatura con la gente de pro, un breve salto de la bohemia y la sospecha al decoro y los buenos modales.

Más tarde, en los años ochenta y noventa, jóvenes con auténticas aspiraciones y vocación incursionaron en los talleres. Estos últimos se multiplicaron: no solo ya los consagrados, sino hasta meros ganadores de una mención honrosa en el concurso de cuentos de la revista *Paula* subieron la cortina y pusieron mesón literario. De dichos talleres egresó un buen número de escritores de verdad. Si en efecto han de llegar a las más elevadas cumbres está por verse; dependerá del talento, la suerte, los tiempos y de todo lo que afecta ese resultado. Lo cierto y seguro es que luego de estas décadas de talleres y también por otros factores, hoy en día el acto de escribir no se asocia únicamente con gente situada en los márgenes de la sociedad, con rebeldes o *outcast* como Bilbao o Edwards Bello, con tipos sospechosos de tendencias anarquistas o revolucionarias, con la izquierda a lo Neruda, con las Yeguas del Apocalipsis y otros esperpentos; ahora es oficio y entretención —o puede serlo— de personas completamente integradas, incluidos ministros de Hacienda y economistas de derecha. Como resultado de eso en Chile, hoy, aun en estos desolados tiempos poco dados a la lectura y en verdad en directa trayectoria hacia el analfabetismo, sucede que existen, respiran, se vejan, se devalúan y se ningunean mutuamente enteras muchedumbres de literatos.

Lo primero, la abundancia, no es fenómeno tan singular; los escritores son una raza de rápida aparición y pululación, amén de muy resistente. Cualquier sociedad que examinemos, antigua o moderna, con toda seguridad tendrá muchas variedades de plumarios bastante antes de tener astrónomos o físicos. Y cuando todo se desplome, quien apague la luz será uno de ellos. Pero aun así resulta novedosa en el presente su gran proliferación, la cual casi ha adquirido carácter de plaga. En consecuencia, cuando antes, en cualquier momento dado, se contaban quizás dos o tres plumas de primer nivel —considerando el medio chileno— y una docena de segunda división, hoy una docena de firmas o más luchan por asomar cabeza en la liga mayor y aparecer en las antologías, mientras doscientas plumas menores —por lo bajo— bregan por estar al menos en el *ranking* de las divisiones inferiores y obtener mención honrosa en los concursos de revistas.

El poeta Diego Maqueira ha hecho uso de una clasificación pugilística entre las variedades de poetas, al menos para ordenar sus pesos específicos. Él habla de pesos mosca, gallo, medianos y pesados. Muy ingenioso, pero no nos sirve. La abundancia en el área de la prosa es tal que necesitaríamos muchas divisiones más. Agréguese la inmensa variedad de géneros. A las usuales y tradicionales categorías de cuentista, novelista, cronista, poeta y ensayista deberían sumarse hoy en día las de guionista de televisión, columnista especializado en espectáculos, en política, cronista de la vida social, escritor clandestino de revistas alternativas, autor y colaborador de *blogs* en Internet, redactores de publicidad, autores de discursos, elaboradores de memorias anuales, etc.

Esa variedad de géneros va acompañada de la enorme heterogeneidad de orígenes de quienes escriben. En otros tiempos el escritor o poeta era un artesano que aprendía su oficio palabrero copiando, imitando, forcejeando y luego, con suerte, igualando y hasta superando a sus maestros; además provenía de una tradición humanista, lo que en Chile NO significa manejo de latín y griego, sólidos conocimientos de historia, tres o cuatro idiomas modernos, literatura de todos los continentes y algo de ciencias sociales, sino, en el colegio, haberle hecho el quite a la matemática, la química y la física y transformar la pereza y/o incompetencia en un vago aire de poesía y bohemia.

Hoy prueban la mano políticos que cuentan sus recuerdos o anuncian la Buena Nueva, economistas que intentan tupidas novelas, cineastas, periodistas, pediatras, *entertainers*, modelos de pasarela, actrices y actores. Un eminente matemático, Eric

Goles, publicó una novela. Todo es posible y nada es reprochable. En esta área de la actividad humana la abundancia no daña. Aun los peores crean una masa crítica competitiva con la cual o contra la cual han de forjarse las mejores plumas; al menos deben hacer un esfuerzo extra para hacerse notar en medio del atroz revoltijo. Si acaso alguien sale dañado no es el público, sino los escritores mismos y los candidatos a serlo. No solo han de luchar para destacarse entre sus colegas, malos y buenos, sino también deben vérselas en un medio más complejo, laberíntico, con esclusas a veces herméticas entre un compartimento y otro, un universo formado por muchos y muy diversos mundos y en los que ser reconocido en uno no garantiza nada en otro.

En el pasado todo era más fácil: se competía contra un puñado reducido de colegas y la gloria eterna la concedían dos o tres críticos de solo un par de diarios leídos por la misma y única elite social y lectora. Triunfando en ese espacio acotado, la cosa estaba oleada y sacramentada. Hoy, al contrario, el autor puede ganar el aplauso de una revista de libros pero recibir insultos de cualquiera de entre docenas de *blogs* literarios, ser ensalzado por un medio y pifiado por otro, ser objeto de alabanzas de tal o cual sector social y de una andanada de amenazas y/o burlas de la enésima sensibilidad sexual y política de moda o pasada de moda. En otras palabras, como en el palacio de la risa, lugar que como es sabido está lleno de siniestros espejos, el rostro que nos devuelven los reflejos es cambiante, a menudo distorsionado y hasta esperpéntico. Ni siquiera la condición de *best seller* garantiza la salvación. Bien puede, al contrario, generar un ataque masivo de la entera comunidad literaria. Lo saben Isabel Allende, Hernán Rivera Letelier, Antonio Skármeta,

Ampuero y algunos otros. Los premios tampoco acorazan. Jorge Edwards, no bien recibió el Premio Cervantes fue catalogado por algunas almas feroces como una especie de «jabón de tocador» de quien emanarían «fragantes pompas que se deshacen de inmediato, sin dejar huellas». Bolaño, incluso en su actual e irremediable condición de escritor fallecido, hecho que suele morigerar la agresión de los colegas, no está a resguardo de los bocazas.

Es el momento de hacernos cargo del segundo de los elementos que mencionamos más arriba, a saber, eso de que las muchedumbres de escritores «se vejan, se devalúan y se ningunean unos a otros». Dicha guerra perpetua, una que jamás ha dejado de existir, cobra actualmente más furor debido a las muy diversas perspectivas y visiones acerca de lo bueno y de lo malo de tan diferentes grupos y círculos como los que hoy existen, amen de lo enormemente dificultoso que es sacar la cabeza del anonimato y lo desesperado de la lucha por triunfar. Es cierto que hoy es bastante más fácil publicar, pero al mismo tiempo es mucho más arduo que una publicación sea notoria o siquiera notada. La fama, siempre huidiza, es casi inalcanzable. Se la busca y debe buscársela en círculos más vastos, lo cual significa competir con mucha gente. Si antes la carrera literaria podía asemejarse a una prueba de cien metros planos corrida al trote, ahora es una maratón en la cual los participantes galopan como velocistas.

Esto ha hecho de nuestros literatos jóvenes, medianos y viejos una turba mucho más odiosa y a la vez generadora de sentimientos de odio de lo que era normal en otros tiempos. El tono de las discusiones entre los literatos y sus comparsas es sangriento. Hay motivos: considérese que aun en las mejores condiciones los escritores son gente que apenas tolera la existencia de sus colegas, lo que es entendible por la naturaleza de su trabajo. Cada escritor que valga la pena pretende crear un mundo regido por sus propias leyes y por tanto no podría quedarse indiferente ante la existencia de un Dios alternativo; si su mundo ha de existir y subsistir debe ser único, irrefutable, necesario y absoluto. Toda creación distinta pone en duda la suya, la relativiza. Imaginen ahora cuánto más intolerable es la coexistencia si dicha creación ajena es más perfecta, rica y esplendorosa, si su Dios creador es más grande, si sus mundos nos superan, si con cada paso que da aplasta a nuestras criaturas como a cucarachas. ¡Ah, no, eso es irresistible! Debe, entonces, el escritor, para salvar su obra, rechazar, condenar, disminuir, negar y aniquilar la ajena.

Tan difícil y agónica condición, propia del oficio, se ve empeorada en las circunstancias actuales. Habiéndose convertido el escribir en una enfermedad muy infecciosa, pululan los plumarios y se agitan en la oscuridad miles de candidatos a la fama. En otros tiempos eso no hubiera importado; los candidatos fallidos al banquete o himeneo con las musas no hubieran encontrado manera pública alguna de excretar su odio y resentimiento. ¿Qué podía intentar en los años cuarenta o cincuenta un poeta que se considerara mejor que Neruda, salvo detestarlo en la privacidad de su círculo de aduladores o gritar su fastidio en soledad? ¡Cuán diferente es hoy! Internet ofrece un campo infinito para expresar generosamente el odio: en *blogs*, portales literarios propios o ajenos, grupos de conversación y medios de prensa virtuales, los que aborrecen tienen la capacidad de forjar alianzas masivas de menosprecio compartido. La modernidad los ha dotado de armas para gritarle al mundo, a coro, su inmenso fastidio por Fulano y Zutano.

Quizás la peor experiencia de todas está reservada para los escritores de mediana edad y méritos relativos. Sobre sus cabezas pesan los consagrados con sus odiosos privilegios, con sus relativas inmunidades concedidas por la crítica, un público lector sustantivo, a veces éxito internacional, premios, renombre y su inclinación a un desdén incontestable. ¿Con qué derecho?, se preguntan los medianos. Y se responden hojeando una y otra vez las obras de esos mezquinos dioses olímpicos que los pisotean desde las alturas, desde la elevación de sus inmerecidos éxitos; sí, las hojean y las desmerecen, las comparan con las suyas, detectan con meticulosidad de relojeros el más mínimo error, la coma mal puesta o faltante, el ripio inevitable de incluso la obra más perfecta, detectan todo eso y lo subrayan y lo vocean y escriben al respecto y gritan su indignación y por cierto anuncian que ellos habrían escrito cien veces mejor sobre el mismo tema.

A ese infierno que llamea en las alturas debe agregarse el que arde bajo sus pies, el de la capa más baja del oficio, la caliente y pantanosa turbamulta de escritorzuelos y escritorzuelas que evacuan incesantemente el resultado de sus enemas literarios, sus trabajos periodísticos en antologías, confesiones de mujer o varón, historias del exilio, sus cuentos y descuentos. De ese pantano sulfuroso casi nada emerge capaz de volar, pero su espesor obstaculiza la marcha. En él los medianos chapotean sabiendo que no están muy por encima y apenas se los distingue de aquellos, los condenados. Oh, sí, damas y caballeros, sus obras comparten espacio en las mismas vitrinas, luchan por los mismos lectores y caen en el mismo rápido olvido. Y entonces sucede que tal como el blanco pobre sureño era el que más odiaba al negro, el escritor mediano es quien más detesta a esa raza de plumarios aun más pequeños, pero igualmente ambiciosos.

Como si todo eso no fuera suficiente para hacer de la vida del escritor —salvo la del más ovacionado, mimado y bien pagado— un horrible tránsito por un interminable valle de lágrimas y espantos, es preciso sumar cuán imposible resulta establecer con irrebatible justicia el valer de cada cual. En casi cualquier otra profesión competitiva eso es posible. Sus cultores se enfrentan en la misma cancha y con las mismas reglas, de modo que las jerarquías surgen naturalmente, de manera implacable, del frío y contundente *score*; puede envidiarse a quien nos supera, odiárselo incluso por habernos superado, pero al menos hay un rincón tranquilo en el alma, y es el de la certeza de que ha habido justicia. «Nos ganaron bien.»

No es así con la literatura, donde no existen varas de medida objetivas. No lo es el mercado, que bien puede premiar una basura; no la hay en los críticos, quienes suelen ser juez y parte interesada siendo como son, ellos mismos, escritores en busca de su propia porción de éxito. Salvo cuando comparamos casos extremos y por tanto no hay ni puede haber dudas, los espacios intermedios se prestan a juicios relativos, cambiantes, oscuros, opacos e interesados. Es lo que otorga existencia y una base sólida al resquemor. Pues, en efecto, es al menos posible que se produzcan injusticias y seamos víctimas de ellas. O es posible que parezcan haberse cometido. En breve, no habiendo fundamento objetivamente convenido, hay fundamento para todo juicio subjetivo. Y siendo así, nada más natural que un autor insuficientemente reconocido o derechamente desdeñado pueda sentirse blanco de una monstruosa confabulación en su contra sin que eso lo catalogue como paranoico. ¡Qué rechinar de dientes, qué odios, qué furor en sordina y a veces público, qué rabia incontenible como el barbotar de un volcán que se ha mantenido en paz demasiado tiempo suscita entonces el considerar que la fama y la gloria se la ha robado otro, se la ha llevado otro porque sí, gracias a sus amigos en las cortes del poder literario, en virtud de sus enredos de sábanas con los críticos, de su sonrisa o esplendor mediático, por lo que sea!

Por eso en el páramo mortal que es la República de las Letras reina siempre el mismo clima, un perenne cielo gris donde revolotean sulfurosas fumarolas de odio y resentimiento. Y es así aunque sus ciudadanos, los escritores, nieguen cordialmente que tal cosa suceda y se sonrían unos a otros y se palmoteen a destajo cuando se topan por casualidad en ferias del libro, en conferencias o en *soirées* y recitales organizados por la *socialité* intelectual. Pero una vez que se dan la espalda se hacen pedazos con crueldad ilimitada, se desvalorizan mutuamente, se burlan, se mofan y hacen mohínes de desdén ante la sola sugerencia de leer a sus colegas.

La suerte de los medianos es quizás la más horrible. Han podido trepar lo suficiente para contemplar la tierra prometida, pero no llegarán a ella. Mientras tanto, lo único que llega es la vejez. Ya en dicha condición están agotados y han perdido la esperanza de quemar siquiera un último cartucho sonoro y decisivo que ponga las cosas en su lugar. Entonces el dolor se convierte en martirio y el talento verdadero que pudieron tener muta en refinadas artes de intriga y malevolencia. En casos calificados estos veteranos envenenados, víctimas de un resentimiento antiguo e irremediable, se las arreglan para adquirir poder en los meandros burocráticos de la literatura, se incrustan como asesores en casas editoriales, se encaraman a alguna columna crítica y se rodean de una docena de pergenios para sobre esas bases montar una red de influencias y malevolencias y darse el último gusto, a saber, minar el terreno que pisan otros, azuzar a sus huestes para que ladren y muerdan en manada a sus blancos de turno. Son, estos personajes, los principales fogoneros de la caldera del odio. En ella palean todos los días un artículo o una palabra dicha al paso, susurrada en una mesa, deslizada para fastidiar a alguien. Mueren, al cabo, lanzando un último cañonazo de caca.

Entre los literatos jóvenes de hoy no hay mucha mejor onda. Tienen una vida por delante para mostrar lo que valen, pero de todos modos y por si las moscas hacen lo posible por hacerle zancadillas a los que corren a su lado. Las artes de la maledicencia y el ninguneo se aprenden tempranamente en este oficio. También las del tribalismo y asociación mafiosa. Los literatos más viejos, exitosos o no, tienden a ser personas solitarias, recluidas, aisladas, lo cual sucede ya sea porque han llegado a la cumbre y no necesitan que los jodan ni les aviven la cueca o porque, en el fracaso, a menudo se pierden las ganas de interactuar con el prójimo y toda esperanza de que este alguna vez lo cotice. Los jóvenes, en cambio, se inclinan a operar en patotas. Gustan de ir a beber en bandas organizadas. Son parte de «generaciones», de «estilos», de ondas. Y así congregados se baten con miembros de otras cofradías en una suerte de continuación de la competencia literaria por otros medios.

Obsérvese y considérese que nada de todo esto equivale a decir o implicar que en los tiempos actuales los que ejercitan la pluma son personas sin habilidades, salvo las del pelambre y la envidia. Todo lo contrario. La mayor competencia y el aprendizaje que hacen las sucesivas generaciones en prácticamente todo emprendimiento intelectual se ha producido, también, en este campo; muchos de los jóvenes que prueban la mano en las diversas ocupaciones del escribir manifiestan un auténtico talento y habilidad técnica. Pero eso hace aun más feroz el ambiente. Quien tiene talento sabe que lo tiene y por tanto resiste con menos tolerancia el éxito ajeno, las injusticias posibles o reales, las postergaciones. Como consecuencia, la escena literaria chilena está, hoy, más crispada que nunca, más repleta de envidias y odios que nunca, más frenética que nunca. A casi todos sus actores les digo, de colega a colega, tengan la bondad de irse a la chucha.

Travestis

El travesti es una criatura bastante nueva en el paisaje de la ciudad o al menos ha sido novedoso cuán rápido se ha multiplicado. Generalmente y para ejercer su oficio suele estacionarse en calles discretamente oscuras, pero a veces también patrulla a lo largo de avenidas resplandecientemente iluminadas. El travesti llegó con fuerza al mercado sexual para espanto de las almas piadosas, en especial las de clase media-alta para arriba, porque es en el barrio alto de Santiago donde hoy navegan las flotas de travestis más grandes, los cueros más atractivos, los culos y senos artificiales más logrados salidos de la cuchillería especializada de los *Nip/Tuck* del rubro. Ojo que de todos modos la oferta travesti santiaguina, porteña o de Concepción está a años luz de la brasileña. Los travestis chilenos, salvo honrosas excepciones, son más bien feos y a veces hasta patéticos. No es raro; la belleza no es común en Chile en ninguna de sus variantes, normales o no. La mayor parte de ellos —¿o ellas?— parecen reos disfrazados de minas para un sórdido espectáculo carcelario de año nuevo. Y amén de feos pueden ser muy agresivos. El miembro de un grupo musical revolucionario de los sesenta —uno de esos conjuntos dados al consabido ejercicio escénico a base de zampoñas, flautas, matracas, chamantos y barbas— perdió la vida a manos de un travesti cuando, invitándolo a su auto y percatándose demasiado tarde de su error, dio inicio a una pendencia que empezó con gritos y terminó a puñaladas.

El travesti, según me informan los conocedores, es más costoso que los patines comunes y corrientes. Ofrece «más». Ofrece, es de imaginarse, un sabor dos-en-uno. A quienes desean experimentar placeres o sensaciones nuevas, el travesti les resulta como mínimo muy intrigante. Supongo que para almas delicadas y sensibles ya es una sensación especial y por tanto un «plus» el solo hecho de negociar en la calle, bajo una farola o a la sombra de un matorral, con una tipa de mórbidas curvas a la cual sin embargo se le adivina la sombra del bigote. Hay en eso algo de perverso, perdido y terminal que puede atraer a quienes, con paladares ya estragados, no sienten gran interés en acudir a una casa de masaje, donde, en un pequeño living, la cabrona pone a desfilar los tristes ejemplares de su catálogo.

Enviar a los travestis a la chucha sería poco práctico. ¿Por qué hacerlo? Antes más vale entender el fenómeno y ubicarlo en el cuadro total que describe lo que nuestro país ha llegado a ser y lo que está dejando de ser. Y lo primero a reconocer es esto: el travestismo convertido en actividad comercial callejera es un fenómeno nuevo sin relación alguna con el tradicional y privado gusto de algunos homosexuales de disfrazarse de señoras. Hablamos ahora de negocios masivos, no de artesanía. Lo segundo a reconocer es que el fenómeno implica la ruptura de diques aparentemente infranqueables, sexuales y legales, policiales y morales. Veinte años o más atrás, la idea de un par de travestis a la espera de clientes en una esquina del barrio alto habría sido inconcebible. Hoy, y cuando mucho, provoca reclamos de vecinos poco comprensivos, a los que no les gusta recoger en las mañanas condones usados y calzones sucios enredados entre los arbustos. Lo tercero a reconocer es que el travestismo es parte de un proceso general de «apertura» en materia de sexo, no un hecho aislado. Esa apertura ha abierto las puertas de muchos clósets y generado más de una sorpresa. Más aun, la homosexualidad no solo ya no se esconde tanto sino que ha salido a la calle, a veces ufana, a veces también agresiva. ¡Ay de quien hoy hable mal de los homosexuales y/o ponga entre paréntesis sus prácticas! Caerá sobre esos desalmados el peso de la funa, la vindicta pública del progresismo, la cobarde y anónima vejación que hace posible Internet, los apodos insultantes, los ataques velados o abiertos de una minoría muy apoderada, muy chirriante y a menudo militante. Lo cuarto a considerar es que la homosexualidad y sus variantes se ha ganado un acogedor nicho en el ámbito de las comunicaciones de masas. En los canales de televisión ya se bromea al respecto. Algunos dicen que «un programa sin un maricón no puede obtener mucho *rating*».

En fin, el travestismo es parte menor pero muy activa de una cultura en la que el sexo reina, indiscutido, como el principal vehículo de obtención y transmisión de placer, entendido este último, erróneamente, como coincidente con la felicidad y la plenitud. Puesto por separado, apartado, operado de toda consideración moral o moralista, el sexo lo practican hoy adolescentes de 14 ó 15 años, no pocos adultos intercambian abiertamente a sus parejas (el adulterio es una antigua pero clandestina y secreta forma de lo mismo), se hace presente con descaro en la publicidad, es el hilo central de casi todo dramón televisivo, y llena páginas y páginas de revistas de mujeres, de libros de autoayuda, de manuales eróticos, etc. No afirmo que eso sea bueno o malo: digo que es un hecho. Y dado ese hecho y constituido así un escenario febril y sobreexcitado, la masificación del negocio sexual por parte de los travestis es en verdad apenas una anécdota, un engranaje más de esta inmensa máquina.

Pero si la mera abundancia y disponibilidad de sexo en todas sus expresiones fuera insuficiente para hacer del travestismo solo un dato más de la causa, hay también a disposición del respetable público una completa doctrina según la cual el sexo es, simplemente, asunto de libre elección, negocio de cada quien, una «opción» sin más peso moral que el involucrado en escoger detergente en el supermercado. Y una vez más aclaro: no evalúo eso como bueno o como malo, sino como un hecho palmario, como lo es también el que dicha doctrina —más la superabundancia del producto— generaron hace rato ya un embotamiento del escándalo, una tolerancia basada en el mero acostumbramiento, un estado de ánimo que puede muy bien describirse con la vieja frase «curado de espanto».

No tengo conocimiento directo, experimental, acerca de las experiencias que vive el cliente que alquila esa mercancía. Tiendo, en primera instancia, a esparcir sobre todo el asunto la vaselina de mi indiferencia; tiendo además a hacer mío el profundo pensamiento de un amigo, según el cual «cada quien administra su culo como le da la gana». Si alguien desea restregarse en una cama con un tipo disfrazado de mujer o incluso con un fulano operado para parecer mujer o solo parecerlo a medias hasta mostrar, colgando entre los muslos, su súbita sorpresita; si a alguien no le importa deslizarse en la misma jornada desde una forma distorsionada de heterosexualidad a una forma patente de homosexualidad; si a alguien no le causa preocupación besar a una supuesta señorita encima de cuyo labio superior raspan como escobilla de cocina las huellas de un bigote, ¿por qué habría de preocuparme yo?

Pero luego de decirme tal cosa inevitablemente reaparece el fulano «anticuado» que soy. Reaparece eso que las lenguas adocenadas del progresismo llaman «homofobia» o tildan como «reaccionario». Cierta vez, uno de esos imbéciles que han colonizado Internet para evacuar su mala leche me calificó como ex represor del gobierno militar porque, en televisión, afirmé que contra delincuentes preparados para matar a destajo debe usarse fuerza letal, mano a mano. Esa es su lógica. Lo que sí reconozco es haber sido criado en los años cincuenta y por lo mismo aún no termino de digerir la idea de ser indiferente, sin que ello importe, que el hijo de algún amigo, al levantarse en la mañana, pueda ver a los pies de la cama dos pares de bototos de hombre con los calcetines adentro. Todavía no lo logro. Y ese fulano anticuado que soy yo, criado en el colegio y la universidad de acuerdo a los cánones de la lógica y no de las hormonas ni de la sensibilidad mediática, tampoco puede dejar de ver la diferencia semántica y práctica entre tolerar y celebrar, entre aceptar y promover. Los travestis y otras sensibilidades sexuales son un hecho al que debe hacerse frente con tacto; eso significa tolerarlo, entenderlo. Otra cosa, sin embargo, es que se nos pida que lo miremos como si no importase, mucho menos que lo celebremos o aplaudamos. Perdonen ustedes, los señores del progresismo a ultranza, pero no importa cómo se palabree el asunto, cómo se conceptualice o cómo se mire, el hecho de ver a un hombre cimbrándose arriba de tacos altos, los ojos con espeso rímel, con pechos de plástico y culo de resina sintética, con ceñido vestido y medias caladas, con calzones colaless, con andar sinuoso y pucheritos insinuantes, no es precisamente un espectáculo que impresione a nadie como cosa normal, indiferente, asunto de gustos, moralmente neutra, inocua e incapaz de dañar a alguien.

¿Los mandaremos, entonces, a la chucha? Habrá que buscar otra destinación. E insistimos: no se trata aquí de condenar a personas, sino roles. El facilismo, el permisivismo excesivo, la idea relativista —en equivocado uso del término, por lo demás— con respecto a estas y otras materias huele a pereza mental, flojera de la voluntad y predominio absoluto del principio del placer en todas sus formas. Una cultura centrada tan ciegamente en el vórtice y abismo del estremecimiento placentero, del «pasarla bien» de cualquier modo, lisa y llanamente se va a la chucha. No tengo necesidad de arrojarla yo a ese sitio…

SOLTERAS CON PROFESIÓN…

Los datos a veces estadísticamente rigurosos y en otros casos salidos solo de la impresión y del olfato del observador, del ciudadano que mira, escucha, sabe, le cuentan o experimenta, nos dicen que ha aumentado significativamente el número de casados y casadas que han terminado su matrimonio por medio del viejo y simple expediente de la separación física, o, ahora último, recurriendo al divorcio legal; nos informan también que muchas más personas que antes, incluyendo mujeres, postergan hasta los treinta años o después el eventual matrimonio o simplemente lo posponen de manera indefinida.

El caso de las mujeres solteras es el más relevante; habla con mucho más elocuencia de los cambios experimentados por nuestra sociedad en los últimos diez o hasta solo cinco años. La mujer de clase media y alta tenía en el pasado tan pocas opciones de vida que no casarse joven equivalía a «vestir santos», expresión que resumía un destino limitado a ser la eterna tía allegada en casa de la hermana que sí había conseguido marido. Esa era la única profesión que se consideraba adecuada para la mujer: esposa y madre. En la clase baja, en cambio, la mujer con o sin marido o mancebo tenía que trabajar. Era lavandera, niñera, agricultora, sirvienta e incluso, en ocasiones, «operaria». Pero esas alternativas no podrían jamás denominarse «opciones de vida»; eran los pocos senderos abiertos para salir del hambre, caminos forzados, no elegidos. Con o sin pareja y con o sin trabajo, su horizonte de posibilidades era nulo. De lo que se trataba era simplemente de sobrevivir día a día.

Hoy la mujer joven de clase media para arriba dispone de muchas opciones y no solo de unos pocos y miserables senderos para huir del hambre. Hoy puede trabajar, desarrollarse como profesional y hasta cierto punto y en algunos casos hacer carrera corporativa. Puede sostenerse a sí misma, vivir «su» vida, dejar abiertas las opciones, no amarrar sus afectos a nadie, disfrutar de libertad, viajar adonde le plazca y por cierto posponer lo más posible ese peso inevitablemente reducidor de las alternativas que es la maternidad. Muchas, especialmente en el sector social medio-alto, lo están haciendo. De ahí la proliferación de este fenómeno nuevo y creciente que es la mujer joven viviendo sola o con una amiga o con una pareja temporal. La nueva mujer independiente no es una señora separada o viuda, una dama «con sus años» aprovechando al fin la oportunidad de ser libre, sino una joven soltera que hace lo que quiere, sale con quien quiere, se acuesta con quien quiere y lo hace todas las veces o las pocas veces que quiere.

Para satisfacer las necesidades de este grupo ha nacido una industria entera. En el barrio alto, edificios completos se construyen con departamentos de un ambiente pensados para solteros, con servicios complementarios de lavandería, piscina, Internet, en fin, enteramente diseñados para este segmento. Los gimnasios encuentran en estas jóvenes parte esencial de su clientela, así como también los bares de moda donde celebran su *happy hour*, los institutos para el aprendizaje de idiomas o de filosofía oriental, academias de baile, talleres literarios o de pintura, etc.

¿Qué más se puede decir de este amplio y creciente segmento de chilenas? No mucho. Imposible generalizar. El espectro es muy amplio y las distancias culturales entre ellas pueden ser inmensas: hay universitarias, secretarias bilingües, cajeras, ayudantes de dentista, recepcionistas, modelos, tecnólogas, profesoras, empleadas de banco, ejecutivas de bancos, corredoras de seguros, vendedoras, etc. Sus condiciones personales también son diferentes: separadas con un hijo o con dos o tres, solteras con uno o más hijos, solteras o separadas sin hijos, mujeres de dichas condiciones de alrededor de los 20 o de alrededor de los 30 ó 40 años, con o sin padres a la mano, con o sin parejas estables, con o sin dinero suficiente.

Sostengo que esta realidad, ante la cual la beatífica estampa de la «dueña de casa» ocupada de plancharle los calzoncillos al marido se parece más y más a un recuadro medieval de la Virgen y el Niño, es el —por ahora— discreto mensajero que anuncia masivos cambios en la estructura de nuestra sociedad, más aun, un cambio de civilización de gran envergadura y ya a la vuelta de la esquina. La familia tradicional está en retroceso aunque todavía predomine por inercia demográfica, esto es, por el solo hecho de que vivan aun muchos padres y madres conformando dichas agrupaciones. El deseo de las nuevas generaciones de «vivir su vida» se ha vuelto intenso y predominante. Los jóvenes de ambos sexos difícilmente incluyen, hoy, en el cuadro de sus ambiciones y opciones, el «formar familia». Desean desarrollarse profesionalmente o probar fortuna con una vida más aventurera, o en cualquier caso postergar todo anclaje a la espera de que se les revele qué desean ser y hacer. Los estadistas miran con preocupación el efecto de dicho fenómeno en las tasas de natalidad y los príncipes de la Iglesia lo consideran signo del egoísmo y búsqueda del placer personal que caracterizaría a los tiempos; por su lado, los hombres de negocios intentan adivinar la consecuencia de eso en la estructura de los mercados a diez y veinte años plazo. Nadie, sin embargo, parece aquilatar el efecto actual de dicho fenómeno más allá de lo que ocurre en tal o cual mercado.

Damas y caballeros, lo que tenemos ante nuestros ojos es mucho más importante que la aparición y crecimiento de un mercado u otro. Lo que surge ante nosotros es nada menos que el grandioso espectáculo de un stock masivo de energía, inteligencia y ambición llegando a borbotones al aparato productivo y cultural del país. Y, sin embargo, tan grande es dicho fenómeno que en verdad no es precisamente un «espectáculo», algo que se reconozca como objeto vistoso digno de mirarse y apreciarse; sucede ante nuestros ojos, pero apenas lo vemos por la misma dimensión que ya abarca, por lo mucho que ha invadido los paisajes de la vida nacional y modificado nuestros parámetros. Pongámosle números: cientos de miles de mujeres que en otras épocas se restaban casi inmediatamente de la sociedad para encerrarse en un hogar, cientos de miles de mujeres cuya inteligencia y ambición se cocían a fuego lento al calor de la cocina, cientos de miles de mujeres que a lo más, en rarísimas ocasiones, se hacían un espacio para dar balbuciente salida literaria a sus inquietudes, todas ellas, esos cientos de miles, ahora se insertan en el mercado laboral, ponen en tensión sus fuerzas hasta el límite, echan abajo sus barreras, suman sus cerebros y talentos, sus ganas, su fuerza y lo hacen en áreas en donde jamás antes tuvieron entrada o la tuvieron en tan mínima cuantía que su presencia no hacía diferencia.

Imposible exagerar el efecto rotundo que este fenómeno está produciendo ya ahora. Produjo, desde luego, la elección de Michelle Bachelet y esta, a su vez, ha sumado su propia voluntad y poder en la aceleración del proceso. La Presidenta quiso aumentar las opciones y derechos de las mujeres en general, pero sin duda ha aumentado en mayor medida las de las mujeres solteras y jóvenes de hoy y de mañana; de ese modo ha ayudado a construir o despejar más espacios y hacer de esos borbotones una avalancha.

CASAPIEDRA

¿Cómo escribir del barrio alto sin integrar Casapiedra al relato? Es parte no solo constitutiva, sino referencial de ese sector de Santiago. Se ubica en una avenida con nombre del eminente y castigador fraile que dio origen al Opus Dei, el Señor lo tenga en su Santo Seno. Y lo mantenga ahí. Tenga también a su lado a Casapiedra, pues es el templo donde se celebran prácticamente todos los tedeums que congregan a los empresarios. Ahí dan sus charlas los gurús que vienen a ilustrarnos desde remotas latitudes, los ministros de Estado a rendirle cuentas a los emprendedores, los ricos para decirle al país que nos merecemos un tirón de orejas por no ser lo suficientemente librecambistas, extraperlistas y agiotistas.

Casapiedra es un edificio que efectivamente ostenta mucha piedra en su fachada, lo cual le otorga cierto aire de sueño arquitectónico hitleriano, pero la asistencia no habla alemán ni usa uniforme ni altas y lustrosas botas. Suele flotar en el aire la fragancia de los Mantequillosos. Bellas chicas de 1,80 metros deslizan bandejas con galletas de monos. Adonde se mire, a cualquiera de sus salones, está en marcha una conferencia con PowerPoint. A cada hora hay un *coffee break*, las puertas se abren, una avalancha de caballeros bien trajeados sale al *lobby* y todos, al unísono, extraen sus celulares como en una coreografía.

Los pobladores habituales de este recinto ya han sido tratados en este escrito de zoología comparada. No vamos a repetir lo dicho sobre los Mantequillosos, los Negritos de Harvard o los ejecutivos. No, al menos, en su calidad de criaturas particulares. Pero tal vez podamos tratar de las modalidades de comportamiento que produce en ellos el simple hecho de encontrarse masivamente en presencia de sus iguales y desiguales, con sus pares y sus impares, en misa empresarial conjunta de cara al mismo oficiante, revestidos de su calidad de miembros de un club, de partes activas o al menos auditivas de una suerte de asamblea legislativa. Es innegable que por momentos las reuniones celebradas en tan majestuoso edificio recuerdan esas producciones históricas de la Metro-Goldwyn-Mayer de los años cincuenta, con mucho palacio de cartón, putas de la corte peinadas por estilistas de Hollywood y legiones desfilando con corazas de utilería y pendones con la sigla SPQR, *Senatus Populusque et Quirites Romanus*. El *Senatus* en este caso lo conforman los Mantequillosos; los ejecutivos menores y las secretarias que hacen nata desde la cuarta fila hacia atrás son los *Quirites* y el *Populusque*. No sé qué rol histórico atribuirle a las altas y atractivas azafatas, si bien algo inanimadas, que siembran folletería, entregan credenciales y a veces también audífonos. Estos últimos rara vez son necesarios; los asistentes se juntan para hacer oír su voz en español. Lo hacen como un cuerpo sólido aglutinado alrededor de los mismos valores, intereses y necesidades. Son, en esas ocasiones, durante las horas que dure el evento, el verdadero Congreso de la nación, su más poderosa —aunque no más representativa— asamblea.

Mientras oyen hablar a los expositores, los Mantequillosos, siempre en primera fila, adquieren una luminosidad y talante distinto al habitual. Sus expresiones irradian un resplandor *sub spetiae aeternitatis*. Miran y oyen no desde sus perspectivas particulares de hoy y mañana, sino desde las alturas del amor por la patria y su destino en los siglos venideros, o sea, oyen y miran sin pensar en su interés sino en el Interés, no en su dinero sino en el Dinero, no en su propiedad sino en la Propiedad. No presentaban semblantes más dignos y graves los senadores romanos votando la tercera guerra contra Cartago en el año 149 a. de C. Al mismo tiempo, sin embargo, en las filas zagueras predomina el hueveo. Muchos se dedican a la búsqueda visual de conocidos con quienes comentar los acontecimientos y no pocos bostezan a todo dar o entrecierran beatíficamente los ojos pensando en cualquier otra cosa. Hablo aquí de ejecutivos de departamento y secretarias de gerencia. De todos modos cumplen la función de llenar sillas que de otra manera, vacías, quitarían esplendor al evento.

Esta coincidencia o coexistencia de verdaderos Mantequillosos y del mero *rank and file* invitado para hacer número, de empresarios y magnates rozándose con vistosas secretarias o asistentes de gerencia, le otorga a estos eventos una suerte de enseñanza que no resisto el deseo de examinar. Digamos, como preludio, que el efecto conjunto de estas diferentes categorías de personas confiere al colectivo un conmovedor aire de fragilidad. Las razones son similares a las que vimos cuando estudiábamos el caso del Mantequilloso. Dije ahí textualmente lo siguiente: «En esa forma extrema de caricatura —me refería al cuerpo de Mussolini colgando de un gancho de carnicería— se hace manifiesta la desnudez y precariedad de la condición humana, su esencial insignificancia, su papel de víctima perpetua del destino, de la buena o la mala suerte, la brecha inmensa que separa su carnalidad' temblorosa y mortal de la fanfarria de sus dichos…».

En el caso que ahora nos ocupa, la carnalidad temblorosa es la de la agregación misma, la asamblea *sans phrase*. Vista en las fotografías y en las respetuosas descripciones de las revistas de negocios, esto es, vista desde el mito y la prosopopeya, la reunión tal o cual de los emprendedores de Chile aparece casi como un cuerpo de Cristo del Poder y la Trascendencia. Vista de cerca, en vivo, en la mezcla caótica de tipos importantes y meros extras del drama, en el distraimiento general que en cualquier instante se apodera aun de los ilustres, en el desorden que medra siempre en estas cosas, en los rostros transpirados, los bostezos reprimidos, las ventosidades guardadas, las meadas interminables salpicando los costosos mocasines, los inoportunos telefonazos de las minas («le dije, mijita, que no me llamara ahora…»), todo el asunto aparece bastante menos solemne y menos épico, un *happening* acribillado de falencias y sin capacidad alguna para que de ello salga algo en limpio.

Pero aceptar esa mirada sería un error. ¿Qué actividad humana no manifiesta la misma mezcla de lo dramático y lo circense? No por eso las decisiones tomadas quizás al paso, con poca reflexión, erróneamente o de cualquier otro modo, dejan de tener efectos. Puede mandarse colgar a un hombre entre chistes y brindis. Puede iniciarse un sangriento golpe de Estado con media docena de reflexiones anticomunistas sacadas del *Reader's Digest*. Puede masacrarse a una población completa porque algún imbécil haya motejado a sus miembros de «reaccionarios» y sin que nadie se detuviese a examinar el término. Puede iniciarse una corrida bancaria o una crisis del crédito por algún *bon mot* que un señoritingo no se resistió a palabrear. Y así sucesivamente. Somos poca cosa en persona y en grupo. Somos también peligrosos y temerarios de ambas formas. Dios nos pille confesados.

VIDA URBANA

Santiago ancho y ajeno...

El «centro» y el «barrio alto» son vocablos que hacen referencia a espacios aún vivos pero obsoletos en la geografía humana de la ciudad. De eso hicimos ya algunas observaciones. El solo hecho de nombrarlos hace sentir un regusto polvoriento en los labios. Son reliquias de una época cuando la ciudad tenía formas definidas, clases ordenadas en jerarquías estables, cuando era un sistema donde todo ocurría con la regularidad y la previsibilidad con que se desarrollan los fenómenos celestes. Era en verdad un universo que sostenían relaciones tan ordenadas como las de los astros. Fue durante esa Creación, ya aniquilada y asumida como reliquia en el corazón insaciable e infinito del Señor, que «personajes populares» como Condorito o Perejil fueron inventados mientras en su polo opuesto se hablaba del pituco, el siútico, el medio pelo, etc. Todos eran seres tan definidos y estables como los de Residencial La Pichanga.

Muy distinto es el bestiario de hoy en día. Ese desfile de fijos, de eternos personajes, ha terminado. Ya no circulan una y otra vez como las figuras de un reloj medieval dando las horas. Al contrario, si hay una palabra o concepto a intentar —solo intentarlo— es expresar el sentido de los tiempos que vivimos, que es precisamente lo opuesto y a la vez lo adverso a todo lo que es preciso, el reino indistinto de la confusión, la ofuscación, el de la variedad infinita, la disolución de los límites y la mezcolanza. Lo hemos dicho: la ciudad no es más un mosaico de pedazos distintos pero precisos, sino de áreas indistintas, vagas y sin solución de continuidad. Y tal como los paisajes urbanos se confunden, se confunden también sus habitantes. Su variedad es legión. Sus múltiples rostros aparecen y desaparecen como sombras e imágenes en un espejo de agua en movimiento. Rostros alegres, tristes, perdidos, melancólicos, confusos, complacidos, frustrados, exitosos, derrotados, drogados, borrachos, perdidos, alertas, rostros de todas las edades y signos astrológicos, rostros que se recuerdan u olvidan, rostros que mutan, se disfrazan y cuya identidad se nos escapa antes de que podamos fijarla.

Porque además se enmascaran. Nadie, hoy, está limitado a la posesión de la identidad que le ha dado su familia y su clase social, al membrete de una caracterización. Al menos en las apariencias y al menos por un tiempo es posible escoger. La identidad puede ser de quita-y-pon. Es hacedero escogerlas en Internet, en las revistas, en la televisión, elegir el modelo de personalidad que se desee sostener por un lapso, lo que se quiere ser aunque sea por un rato. Y entonces, en el mero curso de un día, un adolescente, de acuerdo a lo que hable, haga y como se vista, puede ser grafitero, hijito consentido de su padre, miembro vociferante de una barra brava, consumidor de sustancias, traficante temporal de las mismas, escolar común y corriente, matón de barrio, miembro de una banda de rock o de una banda de asaltantes cuando haya oportunidad. O de una «tribu urbana».

Para cambiar de identidad basta a veces con cambiar de escenario. Un paso más allá del umbral de su casa, el púber y adolescente de hoy dejan instantáneamente de ser lo que eran. Su patota, su grupo, su banda o su esquina lo absorben y lo transforman. El Metro o el Transantiago o su auto pueden llevarlo en solo minutos a espacios muy distintos porque no hay fronteras infranqueables ni barrios vedados y han estallado los límites físicos; incluso las barreras sociales emprendieron la retirada. Para evitar el roce con «los otros» y sostener a duras penas alguna exclusividad es preciso interponer grandes distancias físicas y/o financieras. Solo si se es rico y se vive en las zonas más exclusivas y costosas de la ciudad, más allá del alcance de los buses, en recodos y faldeos de cerros situados a veinte kilómetros del centro o en valles primorosos custodiados por guardias armados, recién entonces es posible ahuyentar la presencia pululante de la masa. De lo contrario se está al alcance de todos, de cualquiera.

Un revoltijo inmenso preside y caracteriza hoy la vida urbana. La cuidadosa coreografía social del pasado ha sido reemplazada por una versión en escala gigantesca de un carnaval perpetuo. El carnaval ha sido y es siempre ocasión durante el cual se rompen las barreras, se confunden las clases y todos se mezclan en el deleite de dicho quebrantamiento. En el presente ese afán por desaparecer en el seno de una masa indistinta a fecha fija parece insuficiente.

Es en este escenario ancho y ajeno donde debemos situar a los variados personajes de las «tribus urbanas».

TRIBUS URBANAS

No hay ninguna duda de que las llamadas tribus urbanas constituyen un fenómeno muy reciente. No tiene más de tres o cuatro años en su actual encarnación. Es hijo natural

de Internet y los teléfonos celulares. Sin esos medios de comunicación y de acceso a la información global, a modas y
tendencias mundiales, las tribus de hoy resultarían inconcebibles. Esa ha sido su causa inmediata, aunque sus raíces
más profundas se proyectan mucho más atrás.

¿Quiénes son sus miembros y qué representan las tribus
de las que son parte? ¿Quiénes? Gente muy joven. Hay en sus
filas púberes de 12 y 13 años y adolescentes de 15 y 17 años,
aunque también muchachos de 18 años o más. Son de ambos
sexos y provienen de todas las clases, si bien las manifestaciones que asumen no siempre se generalizan en la totalidad de
la escalera social. Hay tribus que son propias —e insignias—
solo de ciertos estratos, pero en todos los casos se originan
por igual en la aparición de una masa crítica de seguidores
una vez que cierta vanguardia, llamémosla pionera, pone en
circulación determinadas vestimentas, maquillajes, modales,
costumbres, jerga y posturas que proyectan una identidad y
una actitud frente al mundo bautizado de cierto modo.

Imposible saber en detalle desde la distancia de mi escritorio y de mi edad avanzada cómo se originaron esas tribus,
quién o quiénes dieron comienzo a cada una de ellas en particular. Es posible, sin embargo, suponer ciertos patrones.
Casi con seguridad presuponen a un «inventor», algún joven
y su círculo inmediato quienes a partir de un personaje de
teleserie o incluso de un *animé* japonés, de algo visto en una
página web, de lo leído o sabido de una estrella del rock o
acaso extraído de una película, adoptaron un estilo de peinado
o se inclinaron por usar en su ropa determinado colorido y
enseguida y por pasos sucesivos fueron agregando más características al atuendo, a la postura, al lenguaje. Y podemos asumir
que cuando dicha postura y vestimenta tuvieron imitadores,

estos a su vez hicieron sus propios aportes y así la interacción entre todos ellos enriqueció, perfeccionó y finalmente consolidó un modo de ser dotado, en algún momento del proceso, con su propio nombre.

En cierto sentido —en realidad, en todos los sentidos—, la mecánica de la aparición y desarrollo de las tribus urbanas no podría ser distinta a la de la aparición y desarrollo de cualquier movimiento. En todos los casos hay un fundador del credo o postura, un primer círculo íntimo de seguidores —los doce apóstoles—, una lenta y gradual incorporación de fieles y durante el mismo proceso, o algo después, una consolidación de determinado aparato simbólico, verbal, incluso a veces de vestimenta propia y representativa. En cuanto a la motivación que induce a originar o seguir una nueva postura ante el mundo, no hay otra posible que la insatisfacción en alguna de sus formas. Nadie satisfecho, en complacido reposo con su actual situación, con el lugar y papel que ocupa y cumple en el mundo donde ha nacido y vive, originará o seguirá una parada distinta.

En el caso que nos interesa aquí, el de las tribus urbanas y los muchachos y muchachas que las componen, no es difícil adivinar que dicha insatisfacción tiene su raíz en su condición misma de púberes y adolescentes que viven en el seno de una sociedad contemporánea que no les asigna roles específicos como sucedía en sociedades tradicionales, en las cuales casi cada tramo de edad, año a año, se asociaba a ciertas tareas, a adoptar determinadas costumbres. No había, entonces, angustias. Se era niño de pecho, luego se era aprendiz de guerrero, enseguida y finalmente guerrero. Fin de la historia. En la nuestra, en las actuales, no existe ningún rol definido para ellos, salvo el de estudiante, el cual es menos un rol particular que una condición general. Más aun, el medio en que se desenvuelven es anónimo, confuso, enormemente complejo, incierto, sin perspectivas claras de qué deben ser o llegar a ser; al mismo tiempo, haciéndolo todo aun más difícil y angustioso, es un medio repleto de convocatorias al éxito, al consumo, a la gloria, a la fama.

Esta confusión vivida en medio de un exceso de estímulos y la carencia de normas claras que cumplir bajo la supervisión y eventual sanción de agentes de control que hoy no existen —pues sus padres no los cumplen, siendo como son hijos de las mismas condiciones— genera, en estos niños, una enorme angustia asociada a una absoluta falta de identidad. No saben quiénes son ni qué debieran ser. Sin saber esto, los impulsos orgánicos y hormonales derivados de su condición biológica los asaltan sin defensa alguna que oponerles; no hay valores o reglas que ofrezcan una respuesta por mala o insuficiente que sea. Es en ese vacío que nace el impulso de adoptar una identidad poderosa, definida, inequívoca y compartida. Así es como estas almas desnudas se crean un envoltorio y coraza personal, un pequeño mundo propio con fronteras claras y sus reglas propias.

Hasta aquí no hacemos sino bosquejar condiciones generales que han estado operando desde hace mucho tiempo y no solo en nuestro país sino en todos los del mundo occidental. Los que hoy somos ancianos balbuceantes, pobres criaturas gastadas vitrineando sillas de rueda y pañales para la tercera edad, conocimos parecidas circunstancias en nuestra propia adolescencia. Y la respuesta fue aproximadamente la misma: adoptamos una identidad sacada del cine o de las revistas. Hubo, en mi período de púber —los años sesenta—, imitadores de Elvis Presley, de Paul Anka, de Marlon

Brando. La diferencia está en el grado, en la cuantía y por ende, a la larga, en la muy diferente cualidad que se despliega en el fenómeno de las tribus urbanas de hoy. El imitador de Elvis era un tímido imitador: tal vez insinuaba un jopo en su peinado, quizás usaba una hebilla de cinturón que pudiese recordar al rockero, nada más. Y principalmente era un imitador solitario. Asumía esa débil emulación en calidad de individuo. Su imitación no era compartida masivamente. Era, el suyo, un papel solitario. No había dos o tres Elvis en la patota del barrio, sino solo uno. De seguro había Elvis en otras patotas, pero no operaban en forma conjunta. No había una «tribu Elvis». Y más importante aun, ese Elvis de imitación no pretendía sino hacer suyos ciertos aditamentos externos para hacerse más atractivo. Al menos en nuestro país este Elvis de imitación era un animal perfectamente doméstico. Quería hacerse notar, pero no tanto que concitase el ridículo, la peor sanción social para un chico. Y a quien en verdad admiraba e imitaba era a su padre. En breve, el adolescente que eventualmente hacía suyos ciertos rasgos de algún personaje del cine o la música seguía de todas maneras siendo un chico de familia, miembro o candidato a miembro del sistema y de la legislación vigente.

En años posteriores a ese período ingenuo, la búsqueda de identidad y pertenencia adoptó formas más complejas y variadas. No fue ya solo cosa de imitar a James Dean o a Presley, a algún sujeto en particular, sino de adherir a subculturas específicas centradas alrededor de cierta práctica o estilo de vida. El *hippie* ha sido un caso clásico. Los muchachos de hoy, sin embargo, han llevado esa adhesión a un extremo aun más radical y lo han hecho de manera masiva y desafiante. Lo suyo no es «paz y no a la guerra», sino a menudo la guerra al sistema y nada de paz. Lo hacen desde edad mucho más temprana y con aderezos y posturas absolutamente extravagantes para marcar incluso más sus distancias del mundo oficial. Aparecen no como sujetos que prefieren cierto estilo de vestir a otro, sino como gente caracterizada para poner en escena una obra distinta. En comparación con ellos el *hippie* sesentero de pelo largo, sandalias y camisa floreada parecería vestir con la formalidad de un ministro de Estado. Pero además dicha caracterización extrema no responde a un simple deseo de llamar la atención, de destacar de su círculo inmediato, sino al contrario, de sumergirse y desaparecer en el seno de su tribu. De ser uno más, no «uno». La suya es una declaración de pertenencia a un universo paralelo, no la forzada y adornada independencia del cabro de los años cincuenta que imita tímidamente a Presley o la proclama del *hippie* por paz y libertad en este mundo…

¿CUÁLES SON ESTAS TRIBUS? ¿QUÉ ATRIBUTOS TIENEN?

Un tratadista experto en la materia me entregó información que era posiblemente relevante a la fecha de escribirse esta sección de libro, pero no puedo garantizar su vigencia al momento de su lectura. De acuerdo a sus datos, identificamos las siguientes colectividades tribales:

Artesas: suerte de variación en tono menor, lanera y alternativa de los viejos *hippies*. Se mueven en el hábitat de las ferias artesanales y frecuentan muy poco la ducha. Apestan.

Punks: esta tribu la forman jóvenes en el límite mismo de edad que aún los cataloga como muchachos. Son quizás la tribu más antigua. Acompañan su discurso y estética con una actitud política contestataria.

Skinheads: he aquí una tribu semifascistoide formada por proletas con aires y pretensiones de supremacía blanca en medio del pelienterío de sus barrios de clase baja. Tienen inclinación al uso de la violencia. Habrían sido grito y plata en el año 1937 en Berlín.

Peloláis: más que tribu son una denominación con potenciales de tribu. Hace referencia a chicas de clase alta. Se las ve en manadas, en las discos, viernes y sábado por la noche. La mayoría ya han perdido un 50% de su capacidad auditiva.

Veganos: una tribu que en su monumental demencia prefiere los vegetales a la carne.

Metaleros: mueven la cabeza frenéticamente al son de ruidos feroces, industriales, provenientes del llamado rock *heavy metal*. Hay en ellos algo de obreros de una empresa siderúrgica.

Reguetoneros: ya se imaginarán qué los distingue. Considerando la música que oyen, posiblemente son los más sordos y simplones de todos.

Emos: reclaman la supremacía de las emociones y son devotos del grupo Kudai.

Pokemones: usan cortes de pelo estrambóticos y se dedican con ardor al llamado «ponceo». Profesan el amor libre.

Otakus: estos fanáticos de la animación japonesa gustan disfrazarse de monos animados.

Góticos: escuchan Bauhaus, visten de oscuro, algunos se disfrazan de vampiros y hasta alardean de beber sangre los fines de semana.

Pero insisto: en este momento en que usted, estimado lectora o lector, está leyendo estas líneas, esta lista puede muy bien haberse modificado. Las tribus urbanas son capaces de desaparecer en un par de días y de ser sustituidas por otras en el mismo lapso. Pero da lo mismo. Los rasgos básicos que las animan son más profundos que sus vestiduras y alardes. De hecho, veámoslas ahora respondiendo la segunda pregunta que nos hicimos respecto de las tribus urbanas.

¿QUÉ REPRESENTAN?

Me temo que en esta materia deberé abandonar toda pretensión de simpatía y ser brutalmente franco. No haré ni la más mínima concesión a los modales, a la «cautela» mercurial —marca de fábrica del temperamento pasivo, desvaído y acobardado de la pequeña burguesía chilena— y sobre todo a ese temor reverencial por las minorías vociferantes que últimamente se ha desarrollado en los medios de comunicación, cuyos escribanos, en parte por ese miedo y en parte por pedantería, gustan posar de progresistas a base de guiños hacia cualquiera que aparezca en postura alternativa al «sistema».

Hecha esa advertencia diré lo que es evidente para cualquiera que observe el fenómeno sin prejuicios: los miembros de las tribus urbanas NO representan necesariamente la sección más inteligente y luminosa de la población juvenil. Esta última fracción, salvo excepciones que confirman la regla, no milita en tribus de alguna clase. Los cabros más listos rara vez se disfrazan de vampiros. Los chicos habilosos se preparan para la PSU y sacan seiscientos puntos o más en vez de posar de *skinheads*. Los espabilados no deambulan con pantalones a medio culo mostrando el calzoncillo y/o la raja. En fin, hablan de corrido y se les entiende lo que dicen.

Sé que decir todo esto suena odioso. Nada es más odioso que las comparaciones. Peor aun, alguien podría interpretarlo como un perverso intento de basurear a esos niños. Sin embargo, solo digo que en el 99% de los casos se trata de muchachos y muchachas normales, no muy distintos a la población adulta, ni mejores ni peores, sencillamente la materia prima básica del orden social. Pero ese es precisamente el problema. Los jóvenes de ese tipo son los que necesitan con mayor ahínco disciplina, formación, conducción de parte de los adultos, senderos bien marcados a lo largo de los cuales moverse, etapas delineadas, metas precisas. Las sociedades más sanas y productivas, aquellas capaces de reproducirse a sí mismas en cada sucesiva generación al menos —al menos— sin deterioro de sus parámetros culturales y de comportamiento, son las que se aseguran dar esa formación, esa domesticación. Ninguna sociedad de ninguna época ha podido evadir tan crucial necesidad. Independientemente de nuestros gustos, es un hecho biológico que el *stock* genético humano garantiza, con la certidumbre de la estadística matemática, que en cualquier población cerca de dos tercios de sus miembros tendrán capacidades intelectuales solo medianas o menores en diversos grados. Unos pocos superan esa marca, aun muchos menos la sobrepasan de sobra y una cantidad ínfima, imperceptible, alcanza los niveles de excelencia que se asocia al desempeño de las profesiones más arduas, de la creación científica y artística, de logros culturales de gran nivel.

¿Qué sucede cuando esa capa superior no se encuentra acompañada de una población media suficientemente entrenada como para constituir el *rank and file* de la productividad? Pues bien, en ese caso la sociedad se barbariza porque desaparecen los segmentos de población que debieran encontrarse a medio camino entre la cultura de la elite y la del estado llano. Ese estrato intermedio se analfabetiza y cae en el abismo de la masa. Sus costumbres y modales se hacen más vulgares. Desprovistos de formación en la edad crítica de la niñez y adolescencia, tienen escaso o ningún control de sus impulsos y jamás superan la etapa infantil, cuando no se concibe que haya obstáculos entre el deseo y su satisfacción. De ese modo, el tono espiritual completo de la sociedad desciende varios escalones.

Estas tribus urbanas, entonces, las cuales a primera vista parecerían un capricho pasajero de algunos chicos y sin alguna consecuencia ulterior, algo que en su momento se abandonará como se abandona el andar en monopatines, son mucho más relevantes que eso. Son efecto y causa de una masiva pérdida de control adulto en el proceso de socialización de cada nueva generación o, dicho de otro modo, señalan la aparición de un mecanismo de socialización alternativo, paralelo, que NO prepara a sus pupilos para las tareas del mundo adulto, al cual inevitablemente se deberán enfrentar. Es un curso paralelo pero que no desemboca en un mundo también paralelo, distinto, sino en el mismo de siempre, el inevitable mundo del trabajo, la persistencia y las disciplinas. Más aun, no solo esas tribus entrañan ausencia de controles sociales, un vacío, lo cual por sí solo sería bastante malo, sino positivamente refuerzan actitudes contrarias a las que supone el orden social. Promueven un rechazo total del mundo adulto y en reemplazo ofrecen modelos de comportamiento tan fuertemente promovidos por el entero clima de la tribu, por lo exhaustivo de la inclusión, que no dejan resquicio alguno de asidero para reciclarlos en las prácticas convencionales.

Todo esto debe parecer una tremenda exageración. Una generalización. No puede ser, se dirá, que la membresía a una tribu urbana tenga consecuencias tan vastas y profundas. Se trata, nada más, de una moda pasajera. ¿No ve que siguen siendo los mismos niños de siempre? Van al colegio, llegan a la casa, comen, se acuestan. «Ya se les pasará», agregan. Pero, ¿se les pasará? A muchos sí, a otros tantos no. Hay modas o modos de vida que son más pegajosos que un simple capricho. Hay algunos que, como un pantano, atrapan para siempre. No pocos jóvenes que tenían talentos y se sumergieron en el *Let it be* de los sesenta, con lo que significó en consumo de drogas y actitudes y posturas antisistémicas, continuaron siendo toda la vida esos mismos jóvenes, solo que ya sin talento. Las tribus urbanas con su completa, exhaustiva parafernalia, pueden también atrapar a muchos e incapacitarlos, baldarlos. Puede moldearlos en demasiadas y muy profundas formas. En el mejor de los casos sus ofertas de identidad y los rituales que promueven fomentan la banalidad, causan una brutal pérdida de tiempo, entregan una satisfacción irrisoria de los problemas de adaptación y en ningún caso estimulan la inteligencia.

Por todo eso digo: tengan todos ustedes, los inventores de las tribus urbanas, la amabilidad de irse a la chucha.

Grafiteros «en general...»

La costumbre de usar un muro o cualquier otra superficie de acceso y visibilidad pública para sin permiso y a menudo ilegalmente inscribir o escribir un nombre, una firma, un signo, un dibujo, un insulto, una proclama, llamamientos, trazar una simple raya, hacer un manchón informe, un saludo o una despedida, es tan vieja como la raza humana. Por lo mismo, sus manifestaciones aparecen ya en los más antiguos monumentos de la historia, en las pirámides y templos egipcios donde los arqueólogos que infectaron esa región a partir del siglo XVIII no tardaron en encontrar, en muros o columnatas, nombres de legionarios romanos apostados en Egipto desde que Augusto, el primer emperador de Roma, la convirtió en provincia del Imperio. Se han encontrado también, en los mismos sitios, inscripciones aún más antiguas hechas por mercenarios del período helenístico de cuando Egipto era gobernado por una dinastía macedonia, los Ptolomeos. En los edificios de Pompeya, a los cuales el año 79 d. de C. la lava de la erupción del Vesubio sepultó y preservó en la forma y estado en que se encontraban al momento del fenómeno, muchos de sus muros de viviendas, negocios y templos aparecen acribillados de inscripciones hechas al paso por los ociosos de la época. Una buena proporción de ellas son pornográficas. Ciertamente la raza humana ha cambiado poco. Recuerdo, en el baño de un restaurante de la Gran Avenida, haber encontrado en el muro frente a mis ojos, mientras orinaba, la siguiente leyenda: «a la dueña le gusta el pico más que contar plata».

En breve, puede apostarse que allí donde coincidan un muro y un ocioso aparecerá un grafiti.

Dicho sea de paso, la palabra grafiti es bastante nueva. La acuñó un estudioso del siglo XIX para referirse a todas las variedades de esta forma elemental e improvisada de expresión popular. La academia española de la lengua recomienda usar la palabra grafito, pero bien pueden los relamidos caballeros de su membresía irse adonde tantos otros se han ido en el curso de este libro. Como sea que se diga y escriba, su naturaleza es la misma: una forma de expresión de quienes no tienen otro medio de hacerla pública.

Pero con esa definición, es cierto, avanzamos muy poco. ¿Expresión de qué? ¿No hay acaso muchas formas o variantes del grafiti que responden a distintos motivos? Aparte de haber sido por igual trazados en un muro, ¿qué puede igualar un simple nombre y quizás una fecha con un comentario sobre la vagina de la dueña de la panadería? ¿Qué aproxima un «juanito estuvo aquí» con un «pico pal que lee»? ¿Qué familiaridad puede haber entre el signo ininteligible que marca el presunto territorio de un patán de barrio y un elaborado fresco de la brigada Ramona Parra?

Hay, por cierto, grandes diferencias. Un abismo media entre el ciudadano que una o dos veces en la vida escribió su nombre en una pared y el flaite que sistemáticamente sale en las noches a rayar todo lo que se pone delante de su tarro de pintura en aerosol. Y aun así hay una raíz común entre ese pendejo de mala muerte con el muchacho de «buena familia» que una o dos veces rayó un muro. Esa raíz es la condición humana tal como la vive el 99% de la especie, esa inmensa mayoría abrumada por el peso del anonimato y la indiferencia universal. Nos referimos a los muchos a los que nadie da ni dará pelota, pese a lo cual quieren dejar testimonio de su existencia; a los que desean hacerle saber al mundo y dejar constancia de que tal o cual día se acostaron con Martita. Al dejar su marca en una roca, en un muro o en la corteza de un árbol, imaginan inconscientemente que es probable que su propio ser e identidad adquirirán la duración de esa roca, de ese árbol. Lo más probable es que tanto el que inscribe siquiera una vez sus iniciales, tímidamente, en un rincón, como el que sale todas las noches a rayar paredes con el mayor descaro, no han tenido ni tendrán ocasión de escribir su libro, hacer oír su voz, aparecer en un estrado, plantarse frente a un micrófono, salir en la tele, aparecer en una revista. A ambos los aplasta la sensación —a menudo solo vagamente presentida— de estar siendo aniquilados por el paso del tiempo, a punto de evaporarse en la nada, de no haber hecho saber a nadie de su existencia, de que hasta la fecha no se conozcan ni siquiera sus nombres de pila.

En ese sentimiento, el de la precariedad del Ser, de todo ser plantado en la vida en tal o cual encrucijada del tiempo y el espacio, sometido a todas las limitaciones de dicha condición, apenas un punto imperceptible en medio de la infinidad de las cosas y sucesos en los cuales se quisiera participar, en medio de la infinidad que se quisiera vivir, de la plenitud negada por la sola razón de estar donde estamos, encarcelados donde estamos, de ese sentimiento, repito, participamos todos sin excepción. Y por eso, ¡con qué frenesí hacemos nuestra la menor oportunidad de asomarnos por los barrotes de esa cárcel y gritar algo, lo que sea, cuya reverberación llegue más lejos que la voz con que lo dijimos! Un frenesí que no resuelve nada, es claro. El grafiti con nuestro nombre se mezcla con muchos nombres. Nuestro grito se pierde en medio de la gritadera. Tratando de huir del anonimato que nos rodea caemos, en ese muro, en el anonimato de un millón de grafitis.

EL GRAFITERO CHILENO

Pero dejemos la historia y la metafísica y examinemos esa encarnación bastante menos ilustre y bastante más patética que es el grafitero chileno o, más bien, esa subvariante de grafitero que es el mero rayador de paredes, su variedad más abundante. Hablamos de una especie que en los últimos años se ha multiplicado de manera exponencial. Lo ha hecho a la par de varios desarrollos simultáneos: la disponibilidad «técnica» de medios para rayar adquiribles fácilmente en cualquier librería, ferretería o negocio de pintura; la aparición y desarrollo de las «tribus urbanas» y las bandas territoriales; la crianza mínima o inexistente en términos de comportamientos civiles y sociales de gran parte de las dos últimas generaciones; el acelerado desprecio por la autoridad y la pérdida de temor hacia la misma; la creciente sensación de abandono, indistinción y anonimato de los jóvenes, en especial los de sectores pobres; la separación brutal entre la sociedad oficial, burguesa, respetuosa y convencional y la sociedad de los pobres, agresiva, resentida y violenta.

¿Será también posible —aunque políticamente muy incorrecto— agregar que hay en la raza chilena una gruesa hebra de vandalismo heredada de nuestros antepasados indígenas e hispánicos, la cual se expresaría en el grafitero de esa variedad rasca? No por casualidad la palabra misma, «vandalismo», hace referencia a una tribu germánica, los Vándalos, que en los siglos IV y V de nuestra era destruyó todo lo que se le puso por delante en lo que entonces era Hispania, provincia romana, luego en el norte de África. Eran gente amiga de hacer estropicios, brutos a todo trapo que —adivino— dejaron su marca genética en la población española, nunca famosa por sus finezas, ni entonces ni ahora. En cuanto a la población «originaria» que se batió por tres siglos contra esos andaluces patipelados que vinieron a enriquecerse a sangre y fuego, estaban dotados de esa bravura indómita que suele ir asociada al estado de salvajismo o, si prefieren expresiones más académicas, inmersos aún en la etapa del paleolítico medio. Supone, dicho coraje, una insuficiente individuación, tal cercanía al estado de naturaleza que la muerte no aparece como el temido fin de un complejo y único ego personal, sino apenas como un genérico evento ni peor ni mejor y apenas distinguible del comer, fornicar o respirar. Hay en eso un sentido de inmortalidad propio del reino de la vida en su conjunto, incapaz de perecer sino solo de renacer infinitas veces en nuevas formas.

De todo eso, de esas hebras genéticas, quizás derive tanto ese estoico valor e indiferencia del flaite —y antes, del roto— ante el dolor y la muerte, como ese odio instintivo y feroz del vándalo contra toda forma o cosa que se eleve por sobre los mínimos de las funciones más instintivas, ese rechazo visceral por lo bello o siquiera nítido, limpio, entero o puro. Esa nitidez, belleza o limpieza es para el grafitero vulgar, vándalo en miniatura, equivalente a la faz del odiado sistema, el rostro del mundo oficial que detesta. No siendo parte de él, no pudiendo elevarse a él, puede al menos destruirlo, ensuciarlo, mancharlo, orinarlo, cagarlo, escupirlo. Eso sí está a su alcance. Por eso —imagino— en el torrente sanguíneo del que se apronta a rayar un muro recién pintado para estampar en él su marca, la cual no es una palabra o idea sino un garabato sin significado más allá de señalar su existencia tal como la meada de un gato señala la suya, en ese sujeto, repito, sobrevive la expresión disminuida y desvaída de los genes del bárbaro que hacha en mano se aprestaba a destruir esas columnatas, esos atrios, esa inmortal belleza más allá de su comprensión erigida por la civilización greco-romana.

Digámoslo ya derechamente luego de tanta digresión: el grafitero corriente, el vulgar rayador de muros que ha plasmado en toda superficie disponible, en barrios enteros, una antología de la barbarie y la fealdad, revela a su modo los mismos instintos al mismo tiempo autoasertivos y destructivos que hemos descrito en el flaite. Es un avatar más de la eterna oposición y lucha de esos dos mundos que coexisten en casi toda sociedad, el de arriba y el de abajo. Los «de abajo», a menudo pisoteados y siempre despreciados, no tienen otra salida a su resentimiento que innumerables formas de lucha minúscula, oculta, menor e insignificante, aunque a veces vistosa. El grafitero es hoy su portaestandarte. Por su intermedio el mundo de los oprimidos, los vencidos y los perdedores hacen saber a los otros, a la arrogante burguesía y sus sirvientes y mucamas, de su rabiosa existencia. La proclaman rayando una pared donde inscriben una marca misteriosa, un signo indescifrable, la huella de otro lenguaje a través del que se expresa la existencia de otra dimensión adonde no llega la potestad del rico y el poderoso, de sus guardias, su justicia y su ley. Por eso también ese rayado mural establece las fronteras del espacio ilusorio que el grafitero considera propio, de «su territorio», del reino que es suyo, las cuadras y esquinas donde él gobierna.

El grafitero chileno típico, el mozalbete pobre de entre 15 y 20 años que sale a hacer sus desaguisados, es entonces ciudadano de un mundo hecho de harapos, de restos y sobras. Se suman a estos ejemplares individuos provenientes de estratos sociales más altos, pero solo marginalmente y no con la misma persistencia. Es, en estos últimos, solo una «moda» pasajera. En ambos casos, sin embargo, este ejercicio mural a la chilena nunca ha producido algo que pueda ser recogido por las antologías tolerantes del llamado «arte popular» como muestra de ingenio o malicia. Jamás brotó del tarro de pintura del grafitero chileno una frase siquiera lejanamente parecida a las inscritas en los muros de París el 68. Su más alta expresión literaria suele ser el ya clásico «pico pal que lee». Es un analfabeto que se crea laboriosamente a sí mismo, que trabaja su marginalidad espiritual, que lucha por regresar al oscuro y ya perdido mundo de la era de las cavernas y los inmensos bosques sombríos, de la humanidad preliteraria, de la horda salvaje comunicándose con gruñidos y gestos. Derrotados en el plano de la civilización burguesa, proclaman aún vigente la de los espacios del mundo prehistórico.

OTRAS RAREZAS

El chanta

Tal como sucede con el flaite, el chanta es al mismo tiempo un personaje y un modo de ser, un estilo de vida. Y tal como el flaite, el chanta se desliza y se le encuentra, ubicuo como un Dios, en todos los recovecos de todas las ciudades de este país cada vez más informe, deforme, de disuelta o diluida identidad. La palabra es nueva y también lo es el sujeto y/o los actos a los que se refiere. Refleja, como el flaite, las nuevas condiciones que predominan en el espacio social y cultural chileno de hoy. Ni el personaje ni la palabra existían hace unos años. En otros tiempos bastaba la expresión «roto» para abarcar todos los géneros posibles de vulgaridad y mala crianza; hoy aquellos géneros son muchos más y la palabra tradicional se queda corta. Ha perdido su fuerza y se ha convertido en una reliquia. No dice todo lo que debiera decir ni cuando su objeto es el flaite ni tampoco cuando es el chanta.

Para comenzar nuestro examen, una definición previa y provisoria del término es obligatoria y será la siguiente: chanta es por lo general el flaite de la clase media emergente. Así de breve y simple. Con esto establecemos tanto lo que tiene de similar con el flaite como lo que lo distingue. En modales y costumbres el chanta es un flaite, pero se diferencia por su más alto origen de clase y sus pretensiones de escalamiento social. Esto implica un deseo NO de excluirse, separarse y rechazar agresivamente el sistema, como hace el flaite, sino al contrario, de pertenecer a él. El chanta no desprecia el orden establecido porque, al contrario, arde en deseos de escalar sus peldaños; por tanto no despliega su modo de ser en consciente desafío, pues sinceramente cree que su conducta es la que corresponde a su realzada posición. No se da cuenta de ser vulgar y grosero, y por eso mismo se acerca al antiguo arquetipo del roto, al del tipo medio pelo, al del oportunista y a veces, en sus variantes más refinadas, hasta se aproxima al siútico. En cierto sentido es una mezcla en dosis variables de todos esos personajes.

Quizás la encarnación más lograda del chanta la ofrece la señora teñida de rubio cuyo marido, relativamente exitoso con su negocio como importador de pacotilla china, le ha comprado una camioneta 4x4 coreana para que, sentada en ese alto trono, se mueva por el mundo haciendo notar su creciente y reciente prosperidad, su arrogancia, insolencia e inclinación al abuso y maltrato de los de abajo. Donde el tipo de clase alta es prepotente pero condescendiente, los chanta son atropelladores y groseros. Hablo de «la rubia teñida» no por capricho. La rubia teñida es una buena ilustración del estilo, carácter y valores de lo que se ha dado en llamar «clase media emergente», caldo de cultivo del que emerge el chanta. Con esa expresión se denomina, muy simplemente, a familias que provienen de padres que no formaban parte de la clase media, a gente que ha accedido muy recientemente a esa condición gracias a niveles de ingreso superiores y las consiguientes oportunidades de vivir en barrios mejores, elevar su nivel de vida, tener aspiraciones con cierta base de realismo y, sobre todo, en la cumbre misma del éxito y del delirio exitista, poseer un automóvil.

Esto último es esencial en la vida, espíritu, ambiciones y valores del chanta. Si hay algo que le llena la mente y el corazón y ocupa la mayor parte del tiempo de sus conversaciones, algo que lo ponga en trance y lo haga sentirse superior, lo eleve y dilate su ego, es el automóvil. ¡Qué fetiche más poderoso es ese para toda la sociedad chilena actual, pero cuánto más lo es para los chanta! Es el objeto de consumo que representa su flamante acceso a la clase media. Para formar parte de esta, el chanta no considera necesario haber alcanzado el presunto nivel de educación, modales, costumbres, hábitos y estilos de vida de la clase media, tal como aún se representa anacrónicamente de acuerdo a un obsoleto modelo con cuarenta o cincuenta años de antigüedad, como si aún existiese la clase media de mis padres y abuelos, la clase media del estante con libros en la casa, la de modales educados y cierta aspiración a alcanzar o al menos tener respeto por la alta cultura; no señor, lo que se requiere hoy para sacar un ticket de entrada es un automóvil, el más nuevo, más a la moda y más voluminoso que sea posible.

Distinguir al chanta motorizado de usuarios no chantas del automóvil es fácil: el chanta es ese conductor que usted ve metiéndose los dedos en las narices como si estuviese en la privacidad de su baño, que los usa largo rato para escarbarse los mocos, que usa gorra de béisbol, lleva la radio a todo volumen e ineluctablemente va escuchando reguetón o algo incluso peor, no respeta ni una sola regla del tránsito, echa el vehículo encima cuando cambia de pista, vira en segunda fila, estaciona sobre los prados, arroja por la ventanilla envoltorios y colillas de cigarrillos, usa frenéticamente la bocina y en términos generales considera la carretera y el territorio que la rodea como un tarro de basura donde tiene derecho a botar lo que se le dé la gana.

El problema con el chanta no es sencillamente que sus costumbres y modales sean los del flaite, sino que dispone de medios materiales para multiplicar el efecto corrosivo e insoportable de su flaitismo adquirido. A diferencia del flaite químicamente puro, el chanta está en condiciones de darnos alcance precisamente en ese balneario en el cual pretendíamos refugiarnos de la clase de estrepitoso e intolerable mundo que crea y recrea dicho personaje a su alrededor. Es capaz, con su auto y su tarjeta de crédito, de llegar y alquilar la cabaña del lado. Y a los cinco minutos de su llegada, el paisaje paradisíaco y silencioso que habíamos escogido será contaminado con su música a todo volumen, sus gritos y los de sus chiquillos, sus asados y comilonas a toda curadera.

En otras palabras, el chanta es invasivo. Posee los recursos para irrumpir. Peor: es un cáncer de imposible control porque constituye el 60% de la población del país. No hay quimioterapia que sirva. Al contrario, el chanta es rey. Todo apunta, mira y se dirige a su regia persona. Para honrar y embaucar al chanta con productos que nadie necesita es que se hacen los comerciales de televisión; para entretener y emocionar al chanta se organizan y reiteran los festivales de la canción; para usar al chanta los políticos inventan proclamas y encantamientos; para adormecer al chanta se diseña el 99% de la programación de la tele; para «darle alegría» al chanta —y mamarle su dinero— existe la industria del fútbol; para esquilar al chanta existen las tarjetas de crédito y los «pies chiquititos»; para deslumbrar al chanta se despliega toda la quincallería electrónica de la sociedad de consumo.

Ante todo eso, ante esos asaltos a su ser y suponiendo que se diera cuenta y deseara combatirlos, lo cual sería una contradicción *in res*, el chanta está inerme. No posee recursos de cultura e intelecto para hacerle frente. Es víctima fácil de cualquier acto de hipnotismo comercial o político. Su cerebro funciona a tan pocas revoluciones por minuto que apenas se ha subido al bus, al tren o al avión, le basta apoyar la nuca en el respaldo del asiento y ya se queda dormido. Analfabeto, rara vez lee algo más que la página de espectáculos y de fútbol si son hombres, de espectáculos y nada más si son señoras. Los últimos libros que leyó o más bien hojeó se remontan a su época escolar. En casos muy calificados y excepcionales han leído en las vacaciones algún *best seller* o un libro de autoayuda. Vacíos, despojados de toda pasión e interés salvo de las comilonas y el sexo en el caso de los hombres y de las seriales venezolanas de después de almuerzo en el caso de las damas, a los chantas de ambos sexos les es esencial e indispensable el movimiento perpetuo. En eso, a decir verdad, no se diferencian del 99,99% de la humanidad. El tedio amenaza a casi todos los seres humanos minuto a minuto. Lo que hace notorios a los chantas es su manera particular de combatirlo.

Por tanto, no es haciendo una lista de actividades que se caracteriza al chanta; muchas las practican toda laya de ciudadanos. Es su estilo peculiar para celebrarlas lo que lo define. Veamos, a título de ejemplo, esa vieja manía de ir al campo. Muchos gustan de hacerlo y hoy en día pueden hacerlo gracias al auto propio. Es un modo de entrar en onda con la ecología o, si me permiten usar la manida frase, de «ponerse en contacto con la naturaleza». Pero aunque es una práctica común, se puede realizar de muy distintas maneras. Algunos seres sencillos y buena onda simplemente se contentan con meter los pies en un arroyo y ya sienten estar comulgando con la «vida natural». A otros, sin salir del auto estacionado a la vera del camino, les basta mirar con expresión de arrobo flores y plantas que hubieran podido ver y comprar tranquilamente en el supermercado a la vuelta de su casa. Hay ecologistas a lo Sara Larraín que se envuelven en un sarao de lana indígena y caminan en medio del bosque cuidándose de no pisar ni una hormiga. Y los prohombres adinerados dados al montañismo no trepan ni siquiera una colina sin llevar un completo equipo sanitario para que aun su caquita sea debidamente procesada y esterilizada. Finalmente hay ambientalistas, como lo es Vuestro Seguro Servidor, a quienes les es suficiente saber que existen los bosques, que existen las cascadas y que existen los fiordos, pero no se mueven de su sillón de lectura para de ese modo no perturbar ni un ápice los equilibrios naturales.

El chanta, en cambio, nunca regresa a casa de su paseo campestre sin dejar algunos recuerdos, su huella y marca en este mundo. Lo hace dejando papel confort enredado en los arbustos, restos de comida, varios kilos de caca, envases desechables, bolsas de plástico, tarros de conserva, los tallarines que se pegotearon, litros de pichí en la laguna o el río, colillas de cigarrillos y las ramas quebradas desde las que extrajeron a tirones, hojas o flores que pensaban llevar a casa pero luego botaron a mitad de camino.

Muchas de las costumbres o conductas del chanta brotan no solo de esa voluntad feroz y egotista por salirse con la suya, que es tan propia también del flaite, sino además de pura insensibilidad. El chanta es tosco de mate. No capta, no siente, no percibe, no nota, no se da cuenta. Pasa por este mundo totalmente sumergido en sí mismo, pero no en un «sí mismo» intelectual, no reconcentrado en un pensamiento, en un descubrimiento, en una invención o creación, sino únicamente poniendo enorme atención a sus apetencias, a su querer y desear, a lo que le piden y exigen las hormonas, su vanidad, su cuerpo, su hambre y su insaciable afán de aparentar. Sumergido en eso, no se da cuenta de nada más. El entorno es para él un mundo en blanco y negro y en dos dimensiones como una película vieja. Si es forzado a ello, lo mira con el distraimiento aburrido y apresurado con que se hojea el álbum de fotos de otra persona. Y cuando lo mira lo hace a partir de clichés. Mira lo que el cliché dice que debiera, aunque tampoco lo mira en realidad. Se detiene en el camino solo allí donde un cartel le anuncia que hay un paisaje digno de fotografiar y entonces lo anula mirándolo a través del visor de su cámara. Una vez fotografiado ya no es necesario ni siquiera recordarlo. Es preciso seguir en marcha…

«Es preciso seguir en marcha.» He ahí el mandato absoluto que guía la vida del chanta. Nadie es tan prisionero del movimiento perpetuo como él. En eso se aproxima al Cabeza de músculo, pero con menos facha y estilo. Siendo como es la quintaesencia de la vulgaridad, sencillamente no tolera el estado de reposo, en el cual la responsabilidad y el peso de vivir recaen en la persona misma, en los recursos que tiene dentro de sí, en su capacidad para procesar apasionada o interesadamente lo que llega a su espíritu por medio de los sentidos, del recuerdo o de la meditación de lo ya acaecido, de su memoria. El chanta está lejos de esto y por lo mismo huye. Huye de su lata pero con ella, sin poder desprenderse de ella, persiguiendo con ella —y perseguido por ella— el espejismo que le hace guiños unos pasos o kilómetros más allá. Un chanta sin panoramas, sin lugares adonde ir, adonde escapar, es un hombre muerto. Entregado a su suerte, obligado a quedarse en casa, a estar donde está, no le queda otro remedio que la escapatoria virtual ofrecida por la televisión. Con esta se sume en ese estado de duermevela que es, en esas ocasiones, su gran y único consuelo.

Todo esto, lo ya dicho, parecería simplemente un retrato —mejor o peor, según así lo estime el lector— del hombremasa contemporáneo que tantos ensayistas han bosquejado mucho antes que nosotros, partiendo por Ortega y Gasset en *La rebelión de las masas*, José Ingenieros en *El hombre mediocre*, Robert Musil en *El hombre sin atributos* y muchos más, ya sea que dedicaran una obra completa al tema o tratándolo de pasada en el seno de otro emprendimiento intelectual.

El chanta, sin embargo, aunque participa en lo esencial de todos y cada uno de los rasgos asociados al hombre-masa descrito por los autores que hemos mencionado, agrega algunos más —¿o quizás solo uno más?— que le dan su particularidad. ¿Cómo decirlo para que no suene tan políticamente incorrecto? Digamos que hoy cada quien —cada chanta— se siente con toda laya de derechos y puesto que, al tenerlos, se iguala a cualquier otro, entonces y como resultado brota en él la convicción de que la igualdad no es solo jurídica, sino que también fáctica. De esto surge, de manera multiplicada, la actitud que Ortega y Gasset delineó en su obra, esa peculiar pretensión del hombre-masa a borrar toda distinción, a suponer que no las hay y por consiguiente a presumir que su modo de ser y hacer es tan válido y valioso como cualquier otro.

Hasta ahora esa peculiaridad hizo de los hombres-masa elementos centrales de los mercados, objetos predilectos del quehacer económico y político. Desde hace cincuenta años o más son los niños mimados del sistema de producción capitalista y su cultura.

En la actualidad, no obstante, son incluso más que eso. El hombre-masa se ha perfeccionado y ha madurado. Y en Chile ha encontrado su pináculo en el chanta. En esta última figura antropológica ha adquirido personería jurídica y política. Y es mucho más activo. Es un «emprendedor» de la vulgaridad, no un mero consumidor de ella. El hombre-masa, consumidor vulgar como era, tenía al menos ciertos remilgos; encendía la radio de su auto a medio volumen y oía su cha-cha-cha con la esperanza de que nadie más se enterase; pretendía, incluso, si era interrogado, gustar de la música clásica. Pagaba al menos un tributo verbal a las jerarquías. El chanta, en cambio, abre las ventanillas del auto para que su basura se oiga por doquier y además, para esos efectos, la pone a todo volumen; aun más, no bastándole eso, uno los ve, dentro de sus autos, retorciéndose espasmódicamente, golpeando el volante como si fuera un tambor, moviendo la cabeza, participando con todo su cuerpo del ritual bárbaro, dando muestras públicas de su preferencia bestial.

El chanta es así: bullicioso, orgulloso de su persona, vano e insoportable para quienquiera tenga siquiera un módico monto de fineza. Nos han invadido, nos han avasallado, nos han fregado la vida y no hay modo de detenerlos... Debieran irse a la chucha, pero no se van...

DEUDORES HABITACIONALES

Los «deudores habitacionales» son un grupo de manifestantes tan persistentes en el calendario y escenario político que parecen haber existido siempre. Se asemejan en dicha vigencia calendaria a quienes protagonizan las jornadas del «joven combatiente», todos los años en el mismo sitio y fecha, en Macul y en la población Francia. Pero los deudores han innovado; lejos de ser previsibles, se materializan de súbito en los lugares más inesperados. Única condición es que la Presidenta o alguna otra autoridad de alto rango se encuentre presente. La idea es interrumpir los procedimientos normales de la ceremonia con el ya tradicional grito de guerra de todo grupo de chilenos en busca de su tajada fiscal: «Exigimos a las autoridades…».

Son, estos deudores, un sustantivo número de mujeres de origen humilde que tienen en común el no haber pagado a tiempo las cuotas de sus viviendas sociales y estar en peligro de perderlas. En algunos casos simplemente no pudieron pagar por pura y simple carencia de recursos; en otros, quizás prefirieron asignar los dineros a diferente destino y luego las pilló la máquina. Ambos grupos esperan, tarde o temprano, el tradicional perdonazo. Posiblemente se vivan diversas situaciones en el seno de este colectivo. Puede haber señoras que en efecto encaran cobros intolerables e injustos, mientras que puede haber otras que simplemente participan de la mala costumbre de esperar regalos del fisco. Y hay también activistas del Partido Comunista y otras agrupaciones de extrema izquierda, quienes, como es habitual, se encaraman a cualquier causa popular, justa o no, para avivar la cueca.

Estos deudores, incluso los que tienen algún asidero en su reclamo, representan una postura que se ha desarrollado masivamente en los sectores populares como efecto acumulativo del sistema asistencial —con diversos nombres— practicado por un régimen detrás del otro, del valor creciente del voto popular, el clientelismo político que de eso resulta, el duradero prejuicio de que las causas populares son necesaria y automáticamente justas, y también de la conciencia alerta y oportuna de los propios interesados, quienes comprenden cómo, gracias a todo eso, disponen de un punto de apoyo para «exigirle a las autoridades». La actitud a la que nos referimos es una de exigencia refunfuñante y agresiva apuntada hacia las arcas del fisco, pero disfrazada y engalanada como lucha «por los derechos y la justicia». No es una actitud desconocida por otros grupos de la nación; hay opulentos eternamente a la espera de beneficios tributarios o de otro orden que den «las señales correctas», pero sin duda se ha desarrollado en mayor escala en los estratos pobres de Chile.

Pobres siempre ha habido y también alguna clase de asistencia social. Está en la raíz misma de nuestra civilización cristiana el mirar con ojos tiernos a los pobres y los humildes, considerarlos mejor personas que los ricos, dotarlos —en la imaginación— de virtudes celestiales y no cansarse de repetir que los últimos serán los primeros. A eso, más tarde, se agregó el discurso de las izquierdas, según el cual dichos pobres son los explotados que algún día y por mérito de sus virtudes y sus luchas heroicas heredarán la Tierra. En otros tiempos e inspiradas por el sentimiento cristiano, la acción social quedó en manos de señoras piadosas que visitaban manicomios, hospitales y cités distribuyendo sus buenos oficios. Los frailes también hicieron suya esa línea de negocios. Más tarde aparecería el padre Hurtado a predicarnos desde su camioneta y finalmente los combatientes sociales en sus diversas encarnaciones. Estos últimos nunca quisieron ni quieren hoy tampoco siquiera oír hablar de asistencia y auxilio, de consuelo y ayuda humanitaria; solo deseaban y desean vociferar sobre la revolución apocalíptica que espera a la vuelta de la esquina. A los «combatientes» no les interesa mejorar las condiciones de vida de los pobres, no sea que eso los distraiga de su verdadera misión; al contrario, para ellos es preferible «agudizar las contradicciones», de modo que, llevada a su máxima tensión, la guerra de clases abra paso a la revolución y la revolución abra camino al paraíso socialista.

Tironeados entonces por fuerzas contrarias y visiones contrapuestas que han operado por décadas, objetos y sujetos de diversos discursos y narraciones, convocados por las más distintas corrientes políticas, vistos por algunos como indefensas víctimas dignas de la caridad cristiana o del Estado mientras, por otros, se les ve como potenciales luchadores y agentes activos del futuro y la justicia, los blancos ambulantes de tantas iniciativas y proclamas han llegado a ser ni una cosa ni la otra. El activismo combativo que algunos esperan se limita a un refunfuño hostil reclamando por más prebendas, mientras el agradecimiento y subordinación que otros aguardan se ha convertido en el gesto hosco del acostumbrado a recibir. Ni humildes ni obedientes ni combatientes, estos segmentos poblacionales, en el curso de las décadas, han sufrido una transformación negativa. Los más jóvenes de ese estrato ni reciben muchas ofertas de trabajo ni se interesan tampoco en recibirlas; han perdido la esperanza, las ganas y las disciplinas y prefieren quejarse, rol que ya a los quince años se saben de memoria. A menudo bordean la delincuencia, los agobia la pereza y los frustra un enfermizo sentido de su importancia y sus derechos.

Por eso la queja es hoy cosa de todos los días. Toma la forma de protestas, de movilizaciones, de tomas, de funas, de algaradas. ¿Se trata simplemente del resultado de malas instituciones y leyes, de la injusticia salarial, de abusos patronales y de «sueldos de hambre»? Tal vez, pero la mentalidad formada por esas circunstancias pronto actúa como causa eficiente por su sola cuenta. Aun si mañana nuestra institucionalidad manifestase la perfección de la suiza, los modos de ser y hacer ya estructurados en la psiquis nacional tenderían a producir los mismos efectos.

HONORABLES Y OTROS

Cuando oiga hablar de honorables no crea que la expresión se refiere a individuos ahítos, repletos, llenos, desbordantes de honor. «Honorable» es palabra de origen protocolar que no atribuye honorabilidad a una persona, sino al rol que esta ocupa. En el caso de los parlamentarios dicha distinción entre cargo y titular del cargo es casi innecesaria, pero de todos modos debemos insistir en ella.

De todas las faunas que hoy se revelan como resultado de transformaciones o mutaciones de especies preexistentes, esta, la de los honorables, es posiblemente una de las que ha sufrido el más alto grado de involución. Para decirlo en términos entomológicos, su proceso degenerativo sería el equivalente —si fuera posible tal monstruosidad— a la transformación de la mariposa en polilla. Es posible que la comparación sea muy inexacta; probablemente sea mucho peor. Es peor aunque nunca los honorables hayan sido seres de excelsas virtudes. Aun así, no hemos hallado otra forma de expresar la distancia que media entre quienes ocuparon cargos parlamentarios en otras épocas y los actuales representantes. Hay excepciones;

en este caso, como en todos los demás, estamos haciendo imputaciones que suponen promedios, no números absolutos. Hacemos la aclaración para los cretinos que, cuando se hace un juicio que no les gusta se escandalizan y gritan a los altos cielos «¡pero usted está generalizando!». Sí, estamos generalizando: no hay otro modo de razonar sino haciendo generalizaciones.

La generalización es, en este caso, la siguiente: los parlamentarios de hoy son, en promedio, políticamente menos cultos y articulados, menos leales con sus colegas y menos razonadores que sus antecesores, aunque en compensación son más ambiciosos, codiciosos, populistas, vulgares y prestos a asestar una puñalada por la espalda. Son, para decirlo en breve, algo rudimentarios. Muchos no han logrado todavía superar sus modales de clase media emergente y sus carreras políticas dan muestras rotundas de carecer de formación doctrinaria, de no haber sido preparados en el seno de una tradición política ni pulido su retórica, de no poseer hábitos de lectura y estudio, de no saber qué es la disciplina y menos aun el respeto por las decisiones de sus colectividades.

Otros, los que llegaron a la nueva y feliz democracia desde sectores pudientes, con antepasados ricos, con genealogías y con *bouquet*, a menudo no han sido capaces de superar los reflejos condicionados de su casta y de sus años de servicio durante el régimen de Pinochet. En algunos es notoria la inclinación a la prepotencia nacida de una entera vida dando órdenes, una existencia rodeada de subordinados, del poder y el privilegio que llevan en la sangre y en la cuenta corriente. Por ende y a cada paso se les nota la impaciencia del patrón de fundo teniendo que, ahora por obligación, oírle sus quejas al inquilino. Ciertos honorables le hacen una venia formal a la democracia más o menos del modo como un turista ateo, visitando una iglesia, se persigna cuando pasa frente al altar.

De esta clase de honorables de buena cuna y crianza uno no espera —equivocadamente algunas veces— que metan las manos en el cajón por ser gente social y económicamente bien dotada y no pobres advenedizos ni ex muertos de hambre tratando de compensar de un paraguazo los malos años, las miserias y pellejerías, pero en sustituto se siente que su vocación democrática es solo de quita-y-pon. En ciertos personeros de la derecha se adivina que a la menor amenaza seria a sus bienes, a su clase y su posición, echarían todo por la borda. Son íntimamente autoritarios, resisten apenas y con gran esfuerzo las bajezas y *transacas* de la democracia y en todo sentido su condición de honorables representantes del pueblo es un disfraz.

Naturalmente, nada de todo esto es novedoso; las clases pudientes de cualquier sociedad y de cualquier época, como se hace evidente hasta para un lector distraído de la historia universal, no tienen otra creencia, patria y fundamento que su posición y privilegios. Para preservar eso están dispuestos a sacrificarlo todo, en especial si los sacrificados son otros, los de abajo, la molesta chusma.

En cualquier caso y en ambos lados del espectro político, muchos de estos honorables están operando menos como representantes de la nación que como *freelancers* siempre listos para olvidarse del partido que los puso en las listas de candidatos y los hizo elegir. Hacen tal cosa apenas la primera conveniencia personal se hace presente haciendo «blips» en el radar de la ambición. El votante que los eligió es para ellos, al día siguiente de la elección, un cero a la izquierda.

Otros honorables se han convertido —dos o tres nombres se me vienen a la cabeza— en gánsteres que manejan redes de influencia, extorsionan a sus camaradas y usan sus cargos en las directivas para aumentar sus cuotas de poder sumando a clientes y deudores que les deben sus puestos. No pocos han usado sus posiciones para asegurarse, a la salida, pensiones políticas en embajadas y otras sinecuras de escaso esfuerzo y sustantiva remuneración.

Nada de todo eso es una novedad. Los honorables de hoy pueden, en promedio, parecer enanos al lado de los tribunos del pasado en lo que toca a habilidades verbales y prestancia, pero los de antes no eran distintos a los contemporáneos nuestros en lo que toca a la ambición y otros desagradables rasgos propios de la raza humana, en especial muy evidentes en los políticos. Sin embargo, el cómo uno sea trasquilado tiene importancia. Siente uno, en el presente, que la operación de burlarnos y expoliarnos está en manos de matarifes, no de cirujanos. No es que, como otrora, a los ciudadanos de a pie se nos engañe con discursos decentes y luego y poco a poco se nos olvide con una fina sonrisa; hoy literal y políticamente se nos cogotea ya al día siguiente de las elecciones.

Vamos ahora a «los otros» que menciono en el título de esta sección. Con ellos hago referencia a las ligas menores de la política, principalmente a quienes se mueven en el ámbito municipal. Es este, en todo sentido, un mundo de inferior contextura y calibre, medio pobretón, a los tumbos en el universo de la política, con un cargamento de especies de menor tamaño, menor peso y menor visibilidad. No por eso son menos voraces e insaciables. Las representaciones parlamentarias, siendo de nivel nacional, obligan a los partidos políticos a cierta —cierta— selección de los postulantes; para los municipios resta solo el raspado de la olla. Esto significa que los más de trescientos municipios del país ven llegar a sus curules a personeros de segunda categoría, pero de tercera y cuarta las más veces. No exagero si digo que hay alcaldes cuya sola fisonomía, sus penosos balbuceos y su patente ignorancia nos dejan adivinar la presencia de un chanta a todo cachete. Otros nos impresionan por su propio pasmo de haber llegado a donde están. Y hay los que no pueden disimular la expresión de quien, viéndose súbitamente exaltado, no puede creer en su suerte de estar donde será capaz de satisfacer su ambición y apuro por enriquecerse. En el curso de los años, varios han ido a parar a tribunales por sus exacciones, robos, desarreglos o eso que, en el lenguaje oficial, se llama «irregularidades».

Seguramente usted ha escuchado que Chile cuenta con una clase política superior a la de otros países latinoamericanos, lo cual muy bien podría ser posible. Tan baja es la vara de medida que incluso es bastante probable. Para no ir más lejos, la clase política argentina consta de miembros que en promedio son tipos mejor vestidos, más pintosos, de mayor desplante y mucha mejor oratoria que sus contrapartes chilenas; parecen actores de reparto haciendo el papel de dignos senadores romanos en la película *Espartaco*. Sin embargo, tras esa apariencia de gente decente y hasta de categoría, pululan gánsteres que han alcanzado niveles de corrupción tales que casi subliman dicho concepto y lo convierten en política de Estado.

Los nuestros están, pareciera, muy lejos de eso. No se han atrevido todavía o los mecanismos del Estado no hacen posible depredaciones a escala argentina. Sus raterías, cuando existen, por lo general son al por menor y se celebran más bien en el anchuroso y vago campo del tráfico de influencias, *lobbys* poco presentables, favores, desvío de recursos, licitaciones truchas. Todo esto es más abundante en el ámbito de los municipios, en los cuales el alcalde cuenta con autoridad casi absoluta y fondos discrecionales. Ahí donde las irregularidades han sido más frecuentes.

¿Dónde está el meollo de la involución que mencionamos al comienzo de esta sección? ¿Cuál es la raíz de la que brotan sus menoscabos?

Dos son las raíces y una está rota. Rota y ya reseca está la que se alimentaba de una larga tradición partidista, de una continua existencia de colectividades con algún armazón ideológico y ético. La rompió, como es evidente, el régimen militar y el largo interludio de política reducida a los chistes del almirante Merino los martes por la tarde. La otra, suculenta y muy desarrollada, se ha hundido profundamente en la argamasa del modelo y ha encontrado abundante manantial de donde beber, los ríos del dinero, el éxito y la fama, de la codicia y el apuro por satisfacerla, el abono de la sinvergüenzura desatada. En succionar ese líquido esta raíz participa y lucha con otras. La nación entera está en lo mismo. Y arriba, en el follaje nacido de ese alimento, crecen ya, lujuriantes, los debidos frutos: deshonestidad, desconsideración, malicia, codicia y torpeza, la semilla inevitablemente dada por esos frutos.

Los hocicones

Chile no tiene el monopolio de la maledicencia, el pelambre y la chismografía. Todos esos ejercicios verbales son la argamasa que sostiene la charla de sociedad en cualquier lugar y época de la historia humana. Y también en toda época y lugar esa conversación acerca de lo dicho o hecho por otros tiende a ser maliciosa. Rara vez se habla de terceros para alabarlos. En el más leve, en el menos dañino de los casos, se busca dejar en ridículo a la persona de quien se habla. En el peor, impera un delirio de ferocidad colectiva y no se rescata nada bueno del imputado sino se lo moteja alternativa o simultáneamente de imbécil, ladrón, pervertido, traidor, sucio, brutal, inauténtico, falsario, payaso e ignorante.

El objeto de esta destrucción del prójimo por medios verbales acometidos a sus espaldas, sin su conocimiento, es rebajarlo en su valor para así, por relatividad, acrecentar el propio. Es por tanto especialmente placentero si el objeto de la chismografía tiene algún mérito o virtud, capacidad o cualidad de la que nosotros ostensiblemente carecemos. Eso es un pecado imperdonable que debe hacerse pagar del modo más salvaje posible.

Hay dos o tres variedades dentro de la especie de los hocicones y que es preciso distinguir y examinar por separado. La primera de ellas es el agente activo de la maledicencia, el hocicón químicamente puro, el que abre los fuegos, quien aporta más «antecedentes» e incentiva a los demás a agregar algo al caldo. El segundo es el participante más bien pasivo, el hocicón todo oreja y cauteloso, pero que goza con las historias que oye respecto al blanco del chisme. A veces esta variante del hocicón cree ser leal al ofendido, no porque lo defienda de viva voz, sino por el solo hecho de callar. Es, lo sepa o no, el público asistente, la barra brava del chisme que incentiva la función. El tercero es el mensajero de la desgracia. En las obras de teatro el mensajero que da malas noticias suele ser decapitado, pero en este campo se lo pasa muy bien. El mensajero es el tipo que se apresura en acercarse a quien fue objeto de chismes y «lo informa» de lo que se ha dicho de él. En la superficie, entonces, aparece como amigo o simpatizante que pone en los debidos antecedentes a la víctima, pero tras esa hipócrita apariencia hay alguien que se deleita con las reacciones de malestar del imputado. Mensajeros de alabanzas no existen; estas, cuando llegan a haber, son inmediatamente acalladas, enterradas en un sepulcral silencio. Que nadie se entere.

La chismografía misma presenta variedades; en su rango más elemental es el pelambre corriente que se centra en tal o cual rasgo del afectado; en la gama alta opera como la destrucción sistemática de dicha persona en su totalidad y mediante, si es necesario, de la invención y la mentira descaradas. La novedad que los tiempos han aportado al pelambre, la chismografía y la maledicencia, todas ellas actividades viejas como la especie humana, es por una parte su enorme intensificación y por otra su conversión en negocio. En el pasado, esos ejercicios de mal hablar se ejercitaban en la sobremesa, un pasillo de la oficina, en el café; hoy operan a escala industrial. Diarios enteros, programas de televisión y de radio, revistas de chismes, etc., se dedican masivamente al rubro. ¿Con quién se acuesta fulano? ¿Quién se separa de quién? ¿De qué sitio se vio salir o entrar a mengano?

Esta comercialización del chisme afecta a la gente de los más variados modos. Amén de hacerlos partícipes vicarios de vidas ajenas, lo que no debiera importarles si tuvieran un mínimo de decencia, hace de su público un potencial agente activo, un colaborador a tiempo completo. Ofrece al más pobre infeliz, al más borroso ciudadano, la posibilidad de disponer de treinta segundos de atención si durante ese lapso telefonea a los medios para informar sobre los movimientos del prójimo. La industria de la hociconería ha convertido a gran parte de la población en informantes ad honórem, lo cual ha llevado a algunos individuos a niveles de bajeza inconcebibles. Por sentirse importantes como fuentes de información, la gente es hoy capaz de «subir a la red» las más privadas y vergonzosas escenas tomadas con el celular, no importa si con eso arruinan para siempre la vida de alguien.

La hociconería es ya parte sustantiva del ser nacional. Se la consume y se la produce a raudales. Ha convertido en inocente, público y notorio, el bajo placer de enterarse de los errores, las faltas, pecados y bajezas del prójimo. Se satisface con eso un anhelo muy despreciable, el morbo por la desgracia ajena.

Como la industria no se puede detener ni un día, a falta de otra cosa el hocicón que trabaja para Hocicones Inc. es capaz, llegado el caso, de confesar sus propios asuntos. Sabemos de columnistas que no vacilan en tocar temas privativos de su familia, hablar de sus esposas, referirse a sus hemorroides. Una vez que han abierto las compuertas de la privacidad, ya nada les importa o les parece prohibido. Se convierten en exhibicionistas. Sin embargo, rara vez es necesaria esa inmolación gozosa, porque nunca faltan los voluntarios, sobre todo si hay dinero de por medio. Hoy en día las figuritas del *jet set* no trepidan —por una suma— en vender a la prensa sus matrimonios, separaciones, reencuentros, adulterios, salidas del clóset, operaciones plásticas, quiebres amorosos.

La bajeza moral que todo esto ha traído es difícil de medir. Por lo pronto ha borrado las fronteras entre lo privado y lo público y ha destruido la noción del respeto y la compasión.

El chileno medio, hoy, no se hace el leso si al vecino se le sale un pedo, sino lo grita, lo publica y lo comenta. En ese sentido reina una transparencia absoluta, aunque no cuando se trata de las cuestiones que realmente importan, donde se sigue preservando la más torva opacidad. La figurita del *jet set*, muy capaz de hablar largo y tendido acerca de cómo conoció a la mina con quien engañó a su esposa y con quien convive hoy, se guardará muy bien de contar cuánto le paga a su empleada, cuánto deja de pagar en impuestos, cuánto debe a sus amigos.

La hociconería es un rasgo que permea a todos. Lo manifiestan los Mantequillosos o flaites por igual. Es un pestilente emplasto de uso nacional, el perfume de la nación en los días que corren. Es la crema pastelera que recubre los diversos estratos humanos que ya hemos descrito.

LA POBLACIÓN

A PROPÓSITO DE FRUTOS: NARCOS Y SICARIOS

A propósito de frutos colgando de las ramas de este bosque nacional alimentado por aguas venenosas, los peores, los seres más pestíferos y dañinos que puedan habitar o circular en una población de cualquier ciudad grande de Chile, normalmente en los barrios de las a veces llamadas «poblas», son los narcotraficantes y sus matones a sueldo, los «sicarios». Son, ambos, un nuevo pero ya desarrollado y maduro producto de los nuevos tiempos. Provienen del caldo de cultivo constituido por la sed de oro que se ha desatado en el seno de la cultura consumista del modelo, pero toman esta forma particular a partir del material humano ofrecido por el marginal de este siglo, el flaite.

Los narcos y sus sicarios son las peores y más despreciables criaturas de todas las que hemos revisado y revisaremos en este libro. Su presencia se insinuó hace unos quince a veinte años y por entonces el fenómeno pareció de poca monta, algo así como una araña insignificante que estira sus patas en el último rincón del techo; luego y año tras año se fueron propagando en medio de una criminal indiferencia o negligencia de las autoridades, siempre listas para minimizar toda situación problemática y acusar a quienes la denuncian como «alarmistas». Hoy, al menos desde hace un quinquenio al presente, el narcotráfico maneja una vasta industria que surte de droga a secciones completas del país, a profesionales, niños, estudiantes y empleados por igual, mientras simultáneamente y para el desempeño de su ponzoñoso comercio aparece como dueño o controlador de poblaciones completas, a cuyos habitantes suma al negocio o los obliga a la sumisión y al silencio; amén de eso, recluta como a agentes activos o pasivos a funcionarios policiales y de la justicia.

Poseen ya, los narcos, redes de protección en la institucionalidad del Estado y de hecho el proceso de corrupción estatal tiene en el narcotráfico uno de sus principales factores. Por esa razón, el narcotráfico y sus secuelas son el problema más grave del país, uno que trasciende por mucho el ámbito policial, el del delito y el crimen, incluso el de la salud pública. Su mercancía es veneno puro en todos los sentidos de la palabra. No solo resta de la economía los ingentes recursos que se gastan en su consumo y en combatirla, sino, peor aun, resta de la productividad, al principio gradualmente y luego de modo catastrófico, a generaciones completas de chilenos. Quien es capturado por el malévolo hechizo de la droga, por su breve y engañoso paraíso artificial, muy pronto es esclavizado y para conseguirla no trepida en nada. Al mismo tiempo sus capacidades intelectuales y sus fortalezas morales se desmoronan. Para todos los efectos, la persona convertida en adicta es literalmente asesinada, solo que en este caso no es un cadáver el que resta luego del crimen, sino un zombi con apenas la apariencia —y muy pronto ni siquiera eso— de un ciudadano normal.

Considerando eso, el narcotraficante es el peor criminal de todos. Eso no impide que no pocos jueces y juezas tengan la costumbre de dejarlos libres al menor pretexto. El narco no solo no vacila ante algún hecho de sangre para promover su negocio, sino además victimiza a su entera clientela, a todo el país. Es un genocida. Lo único que lo diferencia del verdugo a cargo de matar grupos completos de gente es que su asesinato opera no de golpe, sino acumulativamente en el tiempo. Sus víctimas mueren de a poco: mueren primero para sus familias, a las cuales abandonan o arruinan; mueren para sus amigos y colegas, quienes dejan de importarles concentrados como están únicamente en conseguir droga para hoy y el próximo día; mueren para sus carreras profesionales si acaso las tenían, pues su rendimiento decrece y finalmente se desploma; mueren para sus ambiciones y metas, las que olvidan por completo al no tener otra ambición, única y omnipotente, que inyectarse o aspirar la próxima dosis; mueren para la sociedad al dejar de ser productivos y convertirse, al contrario, en una pesada carga; mueren finalmente sus cuerpos en accidentes provocados por la droga o por el colapso biológico que causa, lo cual sucede cuando ya nada más queda por morir.

Hay dos variedades básicas de esta perjudicial alimaña y la más encumbrada es el narcotraficante de cuello y corbata a cargo de las operaciones comerciales de alto nivel, la importación o exportación de cargamentos, los contactos con narcos de otros países y con funcionarios del Estado si es necesario. Suele operar, este canalla con traje sastre y zapatos lustrosos, tras la cobertura de alguna clase cualquiera de comercio y vive rangosamente en casas compradas o arrendadas en pleno barrio alto. Cada vez que veo a un notorio picante a bordo de un automóvil de lujo, tiendo a pensar «allí va a un narco exitoso». De seguro no me equivoco muchas veces porque en verdad sus lujos son asiáticos. Así traicionan instantáneamente su vulgaridad, su categoría de delincuentes apenas embozada tras la camisa de seda y la corbata.

Permítanme una breve tesis: vulgaridad y delito coinciden pues no existe, salvo en el cine, un criminal refinado. Un tipo vulgar puede no ser delincuente; un delincuente siempre es un fulano vulgar. Es obvio que una mente concentrada en el dinero a tal punto que no trepide en hacer el mal es vulgar en extremo. Nótese que el amor por el dinero puede encandilar también a un fulano decente, pero en este último caso dicho sujeto al menos —al menos— es productivo; puede además suceder que las actividades que le son instrumentales para conseguirlo sean interesantes, excitantes; puede haber en él algo del aventurero, a veces hasta del artista. El delincuente, en cambio, no produce sino ruina y destrucción, pues para satisfacer su apetito está dispuesto a cualquier salvajada. Su vulgaridad no se redime con nada, no se justifica con nada. Es la suya la encarnación ambulante tanto del mal como de la estupidez. Bien decía Platón —por boca de Sócrates— que el mal nace de no saberse qué le conviene a uno, qué es bueno para uno. El delincuente, un ser dispuesto a matar por obtener ese mal, por sumergirse completamente en el mal, es el ignorante y el imbécil por antonomasia.

Hacemos esta digresión ética y platónica, la cual puede parecerles fuera de lugar, extraña y hasta absurda. Así parece porque vivimos en una época en la cual los actos ilícitos exitosos tienden a revestir, a quien los comete, con una aureola de *glamour* y de inteligencia. El cine y la televisión han convertido a mafiosos crueles y despreciables en personajes de culto; en cambio, el ciudadano cumplidor de la ley suele aparecer como un idiota. En nuestra cultura latina de tercera categoría, biznieta bastarda de la que reinaba en España en la época de la Conquista, en sí misma retrasada, cavernaria, opresiva y aherrojada por la Inquisición y toda laya de supersticiones, ha sido habitual pintar al delincuente y al transgresor con colores atractivos. La entera novela picaresca tiene más de una faceta de eso. Es más, en Chile, luego de su muerte, no pocas veces un sanguinario criminal es virtualmente canonizado. Se les erigen animitas que muy pronto realizan milagros. Las raíces de eso en la estructura de una sociedad de castas y explotación no es materia a examinar en este libro, pero sí de anotar.[1]

Pero hay más. Amén de esa tara cultural que nos pesa, los delincuentes con poder son celebrados o respetados porque inspiran miedo, puesto que pueden hacernos daño. Preferimos tragarnos su insolencia y atropello a hacerles frente. Y entonces simulamos que miramos su aparatosa presencia como señal de habilidad y logro, no como la quintaesencia de la vulgaridad destructiva que realmente es. Tal como el salvaje, quien para congraciarse con las fuerzas de la naturaleza que pueden destruirlo las adora, en presencia del mafioso el ciudadano normal tiende a hacerle una venia y ofrecerle sus respetos.

En el nivel poblacional, el narcotraficante es simplemente el flaite a cargo de vender las dosis. Este malandra ha descendido los últimos escalones de la decencia humana y habita en una dimensión subterránea donde ni siquiera hay lejanos referentes que puedan hacer recordar la existencia del bien y del mal, aun de la vida y la muerte. Asesinar a uno o a muchos, drogar a niños, emplear a adolescentes como sicarios, nada de eso tiene ya significado. Es un terrorista del mal sin ideología o religión alguna que lo sostenga, sino solo la costumbre de hacerlo y el espejismo de esa riqueza a la que

---

[1] En mi novela *Muerte a los latinos* el personaje central, en medio de sus patéticas peripecias, escribe una tesis —la cual aparece en sucesivos capítulos— acerca del origen, naturaleza y mecánica de dicha raíz cultural. Sí, este es un aviso…

aspira o que ya posee. Por obtener o conservar su auto, ropas y putas caras sería capaz de degollar a su madre.

En ciertas poblaciones, el narco ha ido obteniendo un poder que literalmente las ha convertido en estados dentro del Estado, en sociedades dentro de la sociedad. Acceder a esos espacios es equivalente a desembarcar en otro planeta. En ellos, en calidad de extranjero, se es detectado, visado y vigilado. No se está ya en Chile, en el territorio de la nación, el que es sede de la república, propiedad común de la ciudadanía, aquel donde impera o se espera que impere la ley y el orden; se está en una ciudad o un país distintos donde otra «fuerza pública» es la que manda y uno es enemigo a menos que sea un nuevo cliente. En estos territorios la policía evita ingresar salvo si lo hace con contundente fuerza tal como un ejército invasor penetra las fronteras que lo separan del enemigo. Por lo mismo, dichos «operativos» ardorosamente publicitados por el gobierno en ningún caso hacen ostensible la «presencia del Estado» y el valor y vigencia de la ley de la República, sino todo lo contrario. La ley está vigente allí donde no se hace necesario un despliegue policial de esa cuantía. Reina el estado de derecho donde existe el acatamiento tácito del ciudadano. La necesidad de una intrusión masiva de policías para capturar a un delincuente indica lo contrario; entraña que se opera en territorio ajeno al imperio de la ley.

El narco de población se protege con sicarios surgidos de ese mismo entorno. Estos pueden ser niños de 14 ó 15 años. Quienquiera esté en edad de manipular un arma tiene las condiciones necesarias para optar al cargo. Posiblemente los más jóvenes son preferidos porque hacen a los mejores sicarios: son leales y fanáticos en la celebración del oficio, pues los impulsa esa energía adicional que brota de la búsqueda de identidad y fama entre los suyos. Precozmente «salvados» por el narcotraficante del mundo normal de la pobreza, de la mera escasez y del futuro menos que mediocre de sus padres, ingresan y se hacen parte de un modo de vida criminal, fulgurante y normalmente muy breve, pues pronto terminan en el cementerio o en la cárcel. Con dinero en sus manos, con un arma de fuego, temidos y respetados por otros pobladores tan jóvenes como ellos, capaces de conseguirse a las mejores chicas, dotados de una chapa y un prestigio criminal, se sienten viviendo en una burbuja resplandeciente que puede estallar en cualquier momento, lo cual aviva aun más su inclinación por vivir al día. Esto, dados sus paupérrimos recursos mentales y culturales, solo puede expresarse en el terreno de la fornicación, la bebida, la droga misma que comercializan y toda forma de exceso, incluida la violencia. Cualquier exabrupto, cualquier arranque febril que sea capaz de liberarlos de la prisión del tedio y falta de sentido de sus vidas es bienvenido. Viven entonces simultáneamente cortejando y eludiendo el peligro, al borde del abismo, tentados a cada momento por la desmesura, en muchos sentidos prisioneros de una suerte de demencia crónica.

¿Los ha conocido usted, alguna vez, en persona? Probablemente solo ha oído hablar de ellos o los ha visto fugazmente en una escena de la televisión, en una nota en la cual, con el rostro y cabeza tapados por una prenda de vestir, son llevados al vehículo policial. Puede ser entonces que los imagine como chicos muy descarriados pero distintos apenas en grado al matón del curso donde está su hijo, algo peores quizás, pero aun reconocibles como lo que entendemos por jóvenes, por niños. Y a partir de esa suposición tal vez usted imagine que son «recuperables» y para eso solo basta darles cariño, tratarlos mejor, darles oportunidades, sacarlos de ese medio.

Pero no es tan fácil. En realidad, es en extremo difícil, aun si la sociedad decidiera hacer ese esfuerzo. Estos sicarios, estos niños de 15 o de 20 años, estos adultos jóvenes de 25 ó 30, no son simplemente individuos que se han desviado del camino correcto, que marchan en paralelo al de su hijo y podrían ser traídos de vuelta, llamados; la verdad es que habitan otra esfera, están en otro plano, en un universo diferente. Nuestras categorías no tienen sentido alguno para ellos. Han matado o podrían matar o ser matados. Eso lo cambia todo. Mirándolos de frente, cara a cara, a los ojos, se siente que se mira a seres inescrutables. No se vislumbran emociones. Reflejan la luz como si fueran de opaco vidrio. Parecen dispuestos a recibir sin quejarse la peor pateadura. Y con la misma inmutabilidad podrían abrirnos en canal para despojarnos de un par de lucas. Quizás algunos podrían ser rescatados. Quizás algunos.

Mientras tanto, en las poblaciones, la pobreza de siempre ha ido siendo sustituida por otra más oscura, espesa, lejana y ajena, por una pobreza que no es simplemente la suma de las negaciones, de todo lo que no tiene, de sus carencias. En esta nueva forma de desposeimiento se está incubando una raza nueva, peligrosa, agresiva. No sabemos mucho de ella y la tememos. Quisiéramos que no existiera. Quisiéramos que a todos ellos, como proponen tantos, los enviaran a una lejana isla al primer delito. Seamos francos; quisiéramos que se fueran a la chucha.

La pobla como tal...

Examinemos ahora la «pobla», independientemente de esos facinerosos de los que acabamos de hablar. Y para eso lo primero es establecer el siguiente hecho: la población pobre ni está del todo marginada del resto de la sociedad como sucedía en el pasado, hace ya muchos años, cuando eran lo que en ese entonces se denominaban «callamperíos» o «poblaciones callampa», pero tampoco están plenamente integrados al cuerpo social oficial. Ya no viven en chozas de cartón levantadas a la vera de los caminos o la vía férrea en poblaciones que se extendían por kilómetros y a las que solo se las veía desde una ventanilla, al paso, a la salida de la ciudad, cuando no eran parte de la sociedad casi en ningún sentido, cuando al extenderse en los extramuros estaban en la frontera entre barbarie y civilización, en una tierra de nadie en todos los significados del término, sin verdadera existencia urbana, social, política y económica. Viven ahora dentro de la ciudad, de hecho dan forma a gran parte de la ciudad y lo hacen en departamentos o casas entregadas en subsidios. Aun así, su constitución como partes vivas de la ciudad es compleja.

Hay que hacer una diferencia entre este actual «estar dentro» de la ciudad y el de los pobres de antaño, los situados uno o dos peldaños más arriba en la escala social que los callamperos. Esos pobres integrados sí tenían existencia como parte de la trama urbana. Con ellos los demás estratos de la sociedad interactuaban con confianza. No pocas veces habitaban a la vuelta de la esquina del rico o del medianamente ubicado en esta vida, este último llamado, en ese entonces, «medio pelo». El pobre urbano de los años treinta, cuarenta y cincuenta no se había separado del resto de la sociedad. No se aglomeraba ni constituía en «poblaciones». Eran pobres al servicio de las familias encopetadas. Trabajaban como empleadas domésticas, nanas, jardineros, mozos, recaderos y cocineras. También pertenecían a dicho estrato de digna pobreza los empleados menores de la administración privada y pública, dependientes de tiendas, obreros, artesanos, maestros chasquillas. Muchas veces arrendaban piezas en casas venidas a menos pero que en sus fachadas ostentaban cierta apariencia. Además los pobres intentaban vestirse como los de arriba. La formalidad era un ideal universal. La distancia entre el de arriba y el de abajo que convivía con el de arriba era abismal, insuperable, pero ambos formaban parte del mismo paisaje; unos habitaban en la cumbre del cerro y otros el fondo de la quebrada.

Varias décadas de «desarrollo económico», la inmigración campo-ciudad y finalmente las políticas urbanas adoptadas por el régimen militar cambiaron ese panorama. Las callampas desaparecieron para dar lugar, primero, a las media aguas —todavía vigentes en algunas partes— y luego a departamentos y casas subvencionadas, casi todas de pésima calidad pero sin duda infinitamente mejores que las callampas. Fueron erigidas en gran número y llamadas «conjuntos habitacionales». Estas aglomeraciones de viviendas baratas fueron gradualmente dando existencia y forma a lo que ahora denominamos «poblaciones». Son barrios de una comuna de antigua data, pero su masividad y la clase de sociabilidad a que dan lugar terminan a menudo por caracterizar a la comuna entera. Los habitantes de estas poblaciones, como los pobres no tan pobres de antes, están «adentro», pero en muchos sentidos están en realidad más afuera que nunca.

La población es, en efecto, un animal urbano completamente distinto a todo lo que la ha precedido. Es, en primer lugar, dentro de sus confines, un espacio urbano homogéneo debido a sus construcciones idénticas y a la pareja hostilidad, esterilidad e inhumanidad de los entornos planeados por el fisco para ellas con el afán de ahorrar dinero. La escasez o ausencia de jardines y la aridez que es su resultante es la primera característica que salta a la vista. A eso se agrega el rapidísimo deterioro que manifiestan sus fachadas y entornos por obra de lo pésimo de la construcción, del vandalismo, del descuido y la negligencia. Los espacios públicos alrededor de estas viviendas idénticas son literalmente tierra de nadie; de ellas no se preocupan ni las autoridades comunales ni tampoco los vecinos. Las plazas al cabo de muy poco tiempo presentan sus instalaciones destruidas o sustraidas, sus prados resecos y sus árboles marchitos o moribundos. Todo rincón a la mano suele convertirse en basurero. Es, en resumen, un paraje yermo similar a sitios eriazos o industriales recientemente abandonados. Aparece además desprovisto de vida. El transeúnte ocasional desea poner término lo antes posible a su recorrido. Todos los signos indican que el entorno es experimentado como territorio peligroso.

La vida o apariencia de vida la pone el narcotráfico. Sobre sus actores principales ya nos hemos extendido un poco. Insistamos: literalmente se han apoderado o se están apoderando de las calles, callejuelas, pasajes y canchas de enteras poblaciones. La junta de vecinos, el colegio, un estadio, un club deportivo, la parroquia local o la sede de una colectividad política no tienen ya, hoy, el mismo peso y significado, no estructuran el carácter de la población, su vida interior, su vitalidad. Lo que da la tónica, lo que domina, lo que ejerce poder, es el tráfico de drogas.

No es que todos o gran parte de los habitantes de las poblaciones estén ligados a dicho negocio, pero sin duda son el narcotráfico y sus personajes los que ostentan el poder, quienes mueven recursos económicos, los que tienen capacidad para financiar e influir en actividades locales y que se ofrecen como modelos de oportunidad económica a las generaciones más jóvenes. Son los organizados personal y colectivamente para imponer su voluntad con el uso de la fuerza física quienes ocupan los espacios con confianza y desparpajo. Son los que cuentan porque tienen medios para contar. Son los de temer, aquellos con quienes más vale estar en gracia. Son los protagonistas de la población.

La cuantía de este nuevo fenómeno —de no más de diez años de existencia— es tal, que toda otra acción de la comunidad aparece como menor, supeditada, subordinada o limitada por las situaciones abiertas o encubiertas que impone el narcotráfico. Desde luego, por el miedo. ¿Podrá esta vez, se pregunta el vecino mientras transita por la calle, evitar el toparse de frente con un conocido sicario? ¿Estará, algunos de los patos malos de la esquina que operan como distribuidores, de mal humor y entonces va a insultarnos, a vejarnos? ¿Podrá nuestra hija o hijo evadir la tentación de la ganancia fácil? Y por cierto, en relación con el peligro: ¿habrá hoy, como la semana pasada, un ajuste de cuentas a balazos que ponga en peligro la vida de nuestra familia? ¿Celebrarán otra vez a tiros una boda o un cumpleaños? Y luego, la tentación: ¿diremos que sí al regalo del narcotraficante para no molestarlo? Y al aceptarlo: ¿qué pasará después, cuando nos ofrezca dinero por un pequeño servicio?

Este nicho ecológico produce y da sustento a sus propias criaturas. Las nuevas generaciones nacidas y criadas en dicho ambiente no son ni serán simplemente una nueva camada de pobres. No seguirán el sendero tortuoso que siguieron sus padres o abuelos; no serán única y simplemente, como muchos de aquellos lo han sido o son, becarios de los programas de ayuda o beneficencia del Estado; no serán una repetición del poblador quejoso y pedigüeño que agita los muñones de su miseria para extraer algo de los demás. Estos, los de hoy, tienen otra catadura. En su encarnación como flaites ya dan prueba de eso. Flaites cuyas hembras dan ahora a luz a los 15 años...

EMPRENDEDORES POBLAS...

En la actualidad está de moda hablar de los «emprendedores». Miembros de los sectores empresariales del país dieron circulación a ese vocablo y suelen asignarse a sí mismos esa honrosa distinción; gustan verse y ser vistos como quienes emprenden, inician, capitanean. En eso encuentran legitimación a sus ingresos, poder y privilegio. Ellos emprenderían y nosotros, todos los demás, los pobres aves, solo seguiríamos.

Me temo que es, como mínimo, una pretensión curiosa. Los empresarios y hombres de negocios de este país rara vez emprenden algo. Si alguna vez lo hicieron, tiempo ya dejaron de hacerlo. Muchos son meros herederos de una fortuna y posición labrada por sus antepasados. Hablo, por cierto, de emprendimientos que merezcan ese nombre; realizar mejoras locales, agregar productos a la oferta ya existente, modificar aquí o allá la administración o ampliar lateralmente el actual rango de negocios, ninguna de esas iniciativas merecen dicho apelativo. Al contrario, la clase empresarial de Chile, con mucho de rentista en sus venas, tiene su fuerte en virtudes más bien opuestas a las necesarias para emprender. Estas últimas requieren coraje, imaginación y disposición al riesgo, pero nuestros prohombres se distinguen por su prudencia, sólido conservadurismo y aversión al gasto. Su virtud favorita, aquella a la cual son convocados regularmente por sus gurús, es la «cautela». Cautela. Se llaman a la cautela, son llamados a la cautela y cautelosos verdaderamente lo son en extremo. La cautela es buena. Nunca está de más tener cuidado. La cautela impide meter la pata a fondo. La cautela, sin embargo, nunca ha sido el rasgo de carácter que impulsa a los emprendedores. Con cautela no se habría iniciado ninguna de las cien actividades industriales, tecnológicas y comerciales que dan su tónica a los tiempos presentes. Con cautela Bill Gates no habría empezado lo que llevó a Microsoft y con cautela Ford no se habría bajado de su carruaje tirado por caballos.

De hecho, casi estaríamos en condiciones de probar que nuestros empresarios pecan de no tener la más mínima idea acerca de qué es emprender e iniciar. Casi podríamos tildarlos de ser meros comerciantes de mesón. Casi podríamos sugerir que muchos de sus fundamentos financieros provienen de décadas de proteccionismo en algunos casos, de subvenciones en otros, de ayuda del Estado en varios, de desfalcos encubiertos o públicos en no pocos. Casi podríamos decir que sin la protección omnímoda del fisco, muchos de ellos habrían perecido. Casi podríamos señalar que sobreviven y prosperan sobre la base de un régimen de explotación laboral con escasos precedentes. Casi podríamos insinuar que no conocen otra manera de aumentar sus dividendos que «cortar grasa», reducir salarios, aumentar precios y/o bajar la calidad de sus productos.

Si lo que se desea es mostrar con el dedo a emprendedores, sugeriría que se visitasen las poblaciones, las mismas que he señalado como abrumadas por el narcotráfico y la pobreza de siempre. Ahí se encuentran, aunque no sean muchos, verdaderos emprendedores, gente que inicia cosas contra viento y marea. Encontrarán a mujeres solas, abandonadas por sus parejas o maridos y además repletas de chiquillos, pero arreglándoselas para instalar siquiera un quiosco de venta de confites o convirtiendo parte de sus casas subsidiadas en un pequeño almacén para surtir al vecindario. Puede que encuentren también al maestro local que se las compuso para estudiar en Inacap y subir así un par de peldaños en su destreza técnica, manejando ahora una Pyme donde da trabajo a tres o cuatro operarios, educando a su hijo en un colegio de pago y manteniendo su hogar lo mejor posible, aun en medio de barrios saturados de flaites, narcos, pelusones y ociosos de todos los pelajes.

El emprendedor popular es una criatura nueva en el paisaje chileno y a quien NO enviaré a ninguna parte. No debiera, entonces, estar en este libro. Solo lo menciono por un motivo: para compararlo con los emprendedores que nos predican desde todos los púlpitos. Ante esos personajes anónimos que luchan contra toda laya de obstáculos me pongo de pie y me saco el sombrero. Hecho eso, vuelvo entonces a quienes ya he mencionado al paso y por lo mismo, para hacerlo, abandono la población y me dirijo de inmediato a sus madrigueras.

RESORTS, BALNEARIOS

Los ricos se divierten...

Los ricos de hoy se están divirtiendo a todo pasto. Y cómo no; la creciente prosperidad de una nación que pasó de dos o tres mil dólares per cápita a cerca de diez mil —medida en términos de poder adquisitivo— tenía por necesidad que producir cambios en el estilo de vida de todo el mundo, pero muy en especial en los estratos económicos y sociales más altos, donde se concentró la parte del león del crecimiento. En nuestro país, quienes tienen ingresos superiores pueden ostentar un nivel de vida igual o mejor al de sus contrapartes en Estados Unidos o Europa. Además de tener acceso a los mismos o parecidos bienes manufacturados y de servicios, pueden también acceder a algunos que sus colegas del primer mundo solo pueden permitirse si son muy, pero muy ricos, a saber, espacio, tiempo y naturaleza. Para igualar los lujos que en ese sentido puede darse cualquier miembro de la clase alta chilena, esto es, una casa de gran superficie edificada, con jardines y piscina, un japonés debe al menos ser presidente de la Matsushita Electronics.

Aunque el fenómeno se aceleró en la última década, el proceso de enriquecimiento y el cambio consecuente en el estilo de vida de los prósperos, en especial de su modo de hacer uso del tiempo libre, venía de antes. La transformación siguió también el ritmo de la penetración de la cultura de masas a través de la televisión. Gradualmente, las clases altas fueron ampliando su repertorio de deleites sociales y personales y se modificó su relación con el resto de la sociedad. El elevado gueto social de antaño, cuyos miembros vivían puertas adentro y que aun al divertirse presentaban altos muros hacia fuera, ese mundo de elegantes fiestas de disfraces y estrenos en sociedad celebradas en la exclusividad impenetrable de mansiones particulares, ese pequeño y deslumbrante universo sin otra salida a terreno —en el caso de los caballeros— que visitas al Club Hípico, el Club de la Unión y la casa de putas, se fue desvaneciendo hasta convertirse en materia de las crónicas de Edwards Bello y de los sórdidos recuentos literarios de José Donoso.

«Altos muros hacia fuera»… a partir de eso se creó la idea —y de ahí viene la repetida afirmación— de que los ricos de antes eran «austeros». Hay en eso un espejismo, un malentendido. Se califica como «austeridad» lo que más bien era invisibilidad. Los ricos de antes no fueron vistos públicamente en el deleite de sus bienes, porque estos no eran de una naturaleza que hiciera posible o necesario su despliegue a simple vista. No por eso dejaban de complacerse en ellos. Lo de la austeridad de los antepasados es un cuento piadoso de sus descendientes. Es una historia que tiene sentido ideológico, una versión del pasado que sirve al interés del presente. Aquellos supuestos padres y abuelos «austeros» alimentan indirectamente la ilusión o versión de que la fortuna familiar proviene del trabajo duro y del puro esfuerzo, no del esfuerzo y el trabajo duro y además mal pagado de los peones, los labriegos, los mineros y los empleados que laboraban en sus fundos o establecimientos fabriles. Esa austeridad también sostiene el mito de haber sido, dichos caballeros, gente moralmente intachable, pues no se entregaron a los goces que les hubiera permitido su fortuna; en fin, con la palabreja «austeridad» sus descendientes intentan exorcizar todo lo reprochable o dudoso de sus fortunas heredadas, de lo hecho por sus *pater familias*, por esos dueños de tierras y almas.

Aunque estas aprensiones, este miedo o resistencia a hacer pública su riqueza, esa obstinada privacidad, en fin, esa «austeridad» de pacotilla ya no angustia tanto a los contemporáneos, hay ciertos venerables reflejos condicionados que siguen operando como en sus mejores tiempos. Todavía mantienen alrededor de su estilo de vida, ahora más conspicuo, una suerte de alambrada para alejar a los plebeyos. La modernidad los obliga a rozarse con los de abajo con mucha más intensidad y frecuencia que antes, pero en subsidio bregan ardorosamente para que en sus ocasiones de esparcimiento reine la exclusión. No se trata solo de dejar a los flaites y chantas afuera con la simple y efectiva barrera del dinero; también el tema religioso y étnico juega un papel destacado para permitir o no el acceso a sus templos del placer y la diversión. Aún hoy, no pocos clubes resisten la incorporación de ciudadanos que no tengan el color, religión, acento, etnia y apellido adecuados. No está escrito en ningún reglamento, pero es una ley implacable e infalible. Mucho ha cambiado en Chile, pero no ese sentimiento de casta. El tener tales o cuales apellidos, ser parte de tales o cuales familias, hace una enorme diferencia.

EL ESPEJISMO DEL *RESORT*

El *resort* es uno de los tipos de sitios a los que acude, en verano, parte importante del sector pudiente. No hablo del estrato más exquisito, del más rico, el cual va a islas privadas, a pedazos completos del territorio nacional ya de su propiedad o a sitios socialmente estratosféricos a quinientos dólares la noche, pero sí su segunda y tercera selección, gente «acomodada» que encuentra en el *resort* un espacio relativamente fino donde se materializa el desiderátum de todo grupo privilegiado, esto es, la exclusión social y física de los de abajo. Como Disneyland, la mercancía que ofrecen los *resorts* es la ilusión temporal de no haber nada más allá de sus límites. Un *resort* invoca un planeta hecho a la medida de todas las fantasías, hace posible aunque sea solo por una quincena la quimera de que el mundo es enteramente como esa resplandeciente burbuja. La cercanía de los de abajo trizaría ese hechizo delicioso. Por esa razón, quizás inconsciente, sus visitantes únicamente quieren frecuentar y codearse con gente «como uno». Hombres y mujeres de estratos más humildes solo se toleran si andan con uniforme blanco llenándonos las copas. La presencia de un picante supernumerario recordaría algo muy desagradable, la existencia allá afuera, Dios nos libre, de un mundo entero repleto de rotos, de pobres, de frustrados, de resentidos que miran nuestros bienes con envidia y resquemor. El *resort* es la materialización temporal del mundo ideal en que la casta privilegiada quisiera habitar siempre, uno donde los de abajo tendrían derecho a existir pero solo para las tareas menores, desagradables y mal pagadas de la vida; además serían invisibles y desaparecerían en otra dimensión luego de cumplida su faena.

¿Qué encuentran en dichos *resorts* los afortunados que los visitan? Lo resumo: un perfecto vacío. Su promesa no es sino un espejismo. En breve, el *resort* deslumbra con los consabidos y manoseados deleites de la carne y del roce social.

Son, los *resorts*, como esos cruceros que navegan en el Caribe ofreciendo a viudas y jubiladas sesentonas la oportunidad de hacerse fornicar por el personal de a bordo. El *resort* —como el resplandeciente crucero pintado de blanco— es un sitio sibarítico en el más elemental sentido posible. Todo gira alrededor del placer de la carne ahíta, relajada, durmiente, fornicante y asoleada, del placer del mutuo mirarse, la entretención distraída y al borde del tedio de los juegos de naipes, la excitación de bingos y concursos, el cosquilleo del baile, conversaciones al paso y la ingesta masiva de alcohol. Si se deseara tener una imagen icónica de la cultura de la sociedad de consumo nada serviría mejor a ese propósito que las fotografías hechas en esos balnearios. Fotografías de veraneantes mirando a cámara con una sonrisa demostrativa de lo bien que lo están pasando, de cuerpos echados en poltronas, en la playa, en sillones, en la cama, fotografías de mesas repletas de viandas. El mundo de la sociedad de consumo es, hoy, una eterna y amplia sonrisa, pero quizás hueca como la carcajada de una calavera...

Veraneantes paltas

Hablemos ahora más directamente de las personas que pertenecen a esos estratos privilegiados y al modo como vacacionan. Volvamos a ellos para un examen en profundidad, cánula en mano. Y partamos —solo porque nos encanta la historia— con la familias ricas del período decimonónico, esas que —hasta principios del siglo XX— disfrutaban vacaciones de tres o cuatro meses de duración por parte baja y en fundos de su propiedad o de la parentela. A mediados de diciembre —la página social advertía su salida— se embarcaban en el tren, provistos de un inmenso ajuar, docenas de baúles, una nube de sirvientes y no regresaban en todo el verano. Más que un viaje de vacaciones era como el traslado de una Corte desde una de sus residencias o palacios a alguna otra. Hay mucho de recomendable en ese estilo reposado, ponderoso, que se estilaba entonces.

Hoy todo es más breve, más rápido, también menos interesante. Las familias ABC1 de 2009 disponen de más opciones, pero de mucho menos tiempo. En algunos casos van a su «segunda vivienda» en la playa, al borde de un lago o en algún pintoresco rincón rural aún no descubierto por las hordas; en otros, prefieren una temporada en el *resort* o balneario —en una costosa casa arrendada— que corresponda a su clase, en el extranjero o en el país.

En lo esencial, sin embargo, estos veraneantes paltas no se diferencian tanto de sus padres y abuelos. Sus almas eternas son iguales. Cuando se examinan fotografías de sus antepasados, tan serenos y serios posando para la cámara en ignotos sitios de recreo —apenas podemos vislumbrar al borde mismo de la foto qué hay a sus espaldas—, sólidamente sentados alrededor de una mesa de mimbre donde la sopa se enfrió hace ya noventa años, rodeados de niños vestidos de marineros y niñas vestidas de blanco; cuando miramos a esos caballeros que a su vez nos miran desde la ajada cartulina con la solemnidad de sus pesadas levitas; cuando nos miran sin vernos esas damas de luto con altos cuellos rematados por camafeos; cuando los miramos con esa nostalgia y esa sonrisa que sobreviene ante el vestuario y la postura de pasadas generaciones como si fuesen un ridículo error en comparación con nuestra postura y nuestro vestuario, entonces y a pesar de eso, comprendemos que tan enormes distancias no son nada y sus descendientes, los que hoy los miran, los que miran a sus abuelos mientras nosotros los miramos a ellos, no han hecho otra cosa a fin de cuentas que reemplazar el humoso, ruidoso y paradisíacamente lento tren por la SUV o la 4x4. Benditos sean.

Así es, damas y caballeros, hay una continuidad bastante sólida entre esas familias rangosas de ayer y las de hoy. Un hecho relativamente estable en medio del cambio de las sociedades es la durabilidad —no eternidad— de las familias pertenecientes a la elite. Así como la pobreza es una condición que deja a merced de todas las contingencias, incluida la de empobrecerse aun más, el dinero y la posición social una vez alcanzados proveen de los medios —ellos mismos son los medios— para preservarse en dicha situación con tan siquiera una mediocre gestión de los asuntos. Son bastiones que se sustentan a sí mismos. No es entonces raro que a lo largo de las generaciones una buena porción de las familias de elite preserven posiciones de privilegio, dispongan de influencia y dinero suficientes para mantener un elevado estilo de vida, para moverse en círculos relevantes y cuidar una tradición en su calidad de herederos de bienes muebles e inmuebles con valor e historia dinástica, con prosapia.

El veraneante típico de esta extracción social es entonces un Mantequilloso o al menos un alto ejecutivo o profesional de vuelo y revuelo cuyos padres y abuelos fueron también gente de respeto, pilares de la sociedad, ciudadanos adinerados y muy religiosos. Fiel a dicha calidad, este veraneante de primera y finísima selección sigue ostentando en el campo o la playa los rasgos que le son propios el resto del año; continúa siendo un hombre comprometido con la intensa vida social que es relevante para sus negocios y/o profesión, preocupado de su apariencia y vestuario y conectado diariamente a sus asuntos en la ciudad. Normalmente ha asistido a un gimnasio al menos seis meses antes de la temporada para asegurarse una facha decente. Lo mismo ha hecho su mujer, si acaso no acude todo el año a dichos templos. En breve y a diferencia de sus abuelos y bisabuelos, quienes eran hombres y mujeres pálidos, enfermizos, siempre enfundados en pesada ropa, sucios protagonistas de toda laya de cochinadas antihigiénicas, mala dentadura, cabello con seborrea, hemorroides y además —los caballeros— con las solapas de la levita cubiertas de caspa y ceniza de cigarros, sus nietos o biznietos lucen saludables, limpios, tostados, ostentan dientes blanquísimos, cómoda ropa de calidad y un aire general de complacencia en el que reluce la satisfacción física y psíquica proveniente de la prosperidad y las buenas cosas de la vida apilándose a su alrededor. Un león ahíto de carne sería quizás el símil más cercano.

Como sus antepasados, el señor y la señora de clase alta en vacaciones no dan un paso sin una nube de sirvientes. Esa es la tradición mejor guardada de todas. Imprescindible es la nana. Vestida con cotona blanca impecable que cambia todos los días, la nana cumple la tarea de supervisar la numerosa prole de estos matrimonios de fortuna. Hasta no hace mucho cumplía también la misión de satisfacer los apetitos sexuales del hijo mayor. De eso se encarga ahora «su pareja» de quince años. Como una inquieta bandada de gaviotas las nanas se estacionan a la orilla misma del mar, a pata pelada, vigilando que a los cabros de mierda de la alta burguesía no se los lleve una corriente o una ola. Las señoras, mientras tanto, se extienden cuan largas son bajo el ardiente sol. Los caballeros hacen lo mismo. Diríase que el tiempo se ha detenido para ellos, pero de tanto en tanto los señores se ponen de pie, miran hacia el horizonte y luego escrutan sus relojes de oro. Vaya a saberse qué compromisos ya agendados están monitoreando. Tal vez se acerca la hora del cóctel al que asistirán otros hombres de negocios que en ese mismo momento, en algún lugar en medio de los kilómetros de atestada playa, examinan también los suyos.

La señora, cuya cara no podemos ver pues la tiene aplastada contra las toallas o encubierta tras un aparatoso par de anteojos de sol, medita incansablemente. La vacación es el momento ideal y quizás único para ese ejercicio, para evaluar su vida y poner las cosas en orden; medita entonces en cuál de los manteles va a poner en la mesa esa noche, si el de encaje o aquel más informal y bien colorinche que trajo de México, si acaso dio instrucciones suficientes a la china que hace de cocinera, si la carne a la cacerola estará ya lista y si usará ese traje ligero de algodón que al andar se le mete en el culo o se pondrá uno más discreto, señorial; quién sabe, porque cuando usa ese vestido ligero no la molesta como la mira el amigo más íntimo de su marido, ese tipo tan alto y bronceado que no cesa de sonreír. Piensa eso, se inquieta, se da vuelta sobre sí misma y expone su pecho y vientre al sol.

El marido, a unos pasos, siempre mirando el horizonte como si reflexionase en la belleza del mundo, se dice que la señora de ese amigo alto y bronceado, quien posiblemente tras tan ufana prestancia sea un gay escondido dentro del clóset, tiene un trasero de maravilla. La ha visto en bikini y ha debido hacer un esfuerzo por no pegar sus ojos en esa sección de su cuerpo. ¡Oh, cómo la agarraría si pudiera, cómo se la daría duro! Y siempre mirando el horizonte se pasa una larga y detallada película en la cual ya ha anochecido y los contertulios están en el living, fumando y hablando a gritos, algo borrachos ya, mientras él, en la cocina, busca otra botella y entonces esa mujer entra detrás suyo y le ofrece ayuda y él la mira y una y otra vez ensaya cómo lo haría, cómo haría para darle un primer y apresurado beso y en esas meditaciones está cuando su mujer lo interpela y ha de despejar esas deleitosas imágenes e ir a meterse en el agua hasta la cintura para sacar a esos porfiados niños que no quieren salir.

Porque, como sus estatuarios y serios antepasados y como sus contemporáneos de similar clase y prestancia, pero también como sus subordinados, como el roterío y medio pelaje que tiene a sus órdenes, en fin, y como todo el mundo, el veraneante paltón y algo solemne, siempre digno y devotamente dedicado a su familia y a Cristo Redentor, es víctima de una intensa vida fantasiosa en la cual el sexo se lleva la mejor y mayor parte. Mucho esfuerzo dedica a pensar en sus negocios y mucha devoción a su mujer e hijos, como también alguna vez a las andanzas de su alma inmortal, pero la mayor parte de su tiempo libre gira alrededor de esa generalizada locura y obsesión, de un incesante fantaseo sexual que no lo deja en paz, el repetido rumiar acerca de cómo se la metería a la mujer de sus amigos. En eso, estimados lectores, nada lo diferencia del completo bestiario que estamos revisando aquí, del curso de las generaciones, de la humanidad en su entera y desnuda pobreza.

Pero entonces, ¿por qué habríamos de enviarlo ya saben ustedes adónde? ¿No es como todos nosotros? Agréguese que hay en él rasgos redimibles que la defensa podría argüir a su favor: se ducha todos los días y ha aprendido a tomar vino tinto. No es un logro menor. Quizás también debiera agregarse a tan breve pero significativa lista la tendencia de estos caballeros a adherir a sectas religiosas cristianas bastante extremas en su rigor y demandas disciplinarias. Hablo del Opus Dei, los Legionarios de Cristo y otras organizaciones similares dedicadas a convocar a los misterios divinos a gente de beatíficas cuentas corrientes. La disciplina, cualquier disciplina, es buena cosa. Ignoro qué hacen en sus reuniones. ¿Rezan prolongadamente? ¿Oyen conferencias sobre episodios de la vida de Nuestro Señor? ¿Se dan de correazos en el poto? ¿Confiesan a gritos sus pecados? ¿Prometen corregirse?

Pero hagan lo que hagan bajo la dirección de los feroces clérigos que manejan esas instituciones, aun así estos caballeros no parecen vencer su avaricia, arrogancia y complacencia de siempre. Salen de esos retiros espirituales con tan mezquinas y apretadas manos como de costumbre, salen con la misma propensión a pagar lo menos posible, salen con igual inclinación a sacarle el jugo a sus subordinados y salen sin otra generosidad que la que despliegan consigo mismos; a la salida su orgullo sigue siendo el de una vanidad encarnada en tan miserables cosas como lo son los títulos de sus cargos y sus automóviles. Por eso, la sola presencia de sus cuerpos mantequillosos expone bajo el sol desnudo e implacable el que no sean, pese a sus pretensiones sociales y sus rangos y su poder, mejores que nosotros, los de más abajo. Porque, en fin, qué quieren que les diga, no hay ser humano que no sea sino un pobre paquete de carne ávida, insaciable e indigna.

LOS DEL MEDIO Y LOS DE ABAJO

Por su lado y en su propia dimensión, más baja y torva, la clase media emergente e incluso ciudadanos de sectores más humildes veranean hoy en lugares que en el pasado fueron de uso exclusivo de los más prósperos. De eso quedan reliquias arquitectónicas en rápida descomposición. Este arribo de esos sectores es indudablemente un progreso; más gente puede darse el gusto de disfrutar el territorio de su propio país. El cambio fue gradual y por etapas. Cuando con horror los ricos vieron llegar a sus parajes a las primeras avanzadas de la ciudadanía «medio pelo», pero con plata, de inmediato comenzaron a mudarse a lugares más alejados, exclusivos y caros. El hueco que dejaron al huir en estampida lo llenó el resto de esa clase media invasora, la cual, a su vez, al cabo de unos años fue paulatinamente invadida en su recién conquistado territorio por personas de estratos aun más bajos. Esa fue la segunda etapa y tomó tres décadas. La tercera fase ha sido la culminación del proceso, la total transformación de sitios originalmente exclusivos en balnearios populares. De ese modo escalonado y en alrededor de sesenta años cambió enteramente el perfil sociológico y urbano de casi el entero litoral central —Algarrobo, El Quisco, Las Cruces, San Sebastián, Cartagena, Maitencillo, etc.—, convertido hoy en tierra de promisión de la clase media baja.

Los efectos han sido masivos y devastadores. No se trata de un prejuicio odioso, sino simplemente de reconocer el costo estético y ambiental que casi siempre va a la cola del progreso. Ni siquiera es preciso hacer imputaciones cualitativas sobre las costumbres y comportamientos de las personas que ahora arriban a dicho litoral; lo importante es que arriban en gran número y el solo número tiene consecuencias. Permítanme explicarlo brutalmente: mientras antes llegaban al mar las excretas, los detergentes, la grasa cortada y los detritus de cocina de un puñado de gente, ahora lo hace la producción en esos mismos rubros de diez o veinte veces más personas. Eso tiene consecuencias. Por eso cada mañana la playa amanece sembrada con un completo catálogo de todas las variedades de la mierda. El mar, oleaginoso y lerdo, en muchos sitios es ya como una sopa rancia. Aunque todos los visitantes fueran príncipes y princesas, el resultado sería el mismo.

Mientras tanto, en tierra, el solo aumento numérico de los visitantes generó un proporcional crecimiento del comercio. Y por cierto el comercio de balnearios no tiene la elegancia de las joyerías de la Place Vendôme en París. Tinglados provisorios que duran por décadas se consideran suficientes. Se multiplican los letreros, el avisaje, las ferias artesanales, los retretes en cubículos de plástico, los vendedores ambulantes, los delincuentes, las patotas, el consumo de alcohol, el ruido, los automóviles. El pequeño negocio pintorescamente iluminado con chonchones y la panadería de familia es reemplazada por supermercados, grandes botillerías, farmacias, sucursales de bancos. Llegan además, en masa, los comerciantes del rubro de la entretención a explotar el tedio mortal que abraza casi todo el tiempo al ciudadano medio y de ahí la colonización de grandes sectores de las playas y/o sitios eriazos con un mar de banderas, pendones, altoparlantes, *stands* de tiro al blanco, música popular, animadores vociferantes y concursos. El estrépito, la agitación, las aglomeraciones y la producción per cápita de envoltorios y colillas de cigarros, botellas desechables, condones y restos de comida, es monumental.

Tenga todo eso, lo animado y lo inanimado, la bondad de irse a la chucha.

Veraneantes chantas...

Vamos ahora directo a la vena. Vamos a las modalidades que adquiere el chanta en vacaciones. Ya vimos al veraneante palta, quien no era otra cosa que el ejecutivo o Mantequilloso, solo que más desnudo, más a la vista, menos disfrazado en medio de las parafernalias de su posición social. Lo mismo sucede con el veraneante de estratos sociales más humildes, quien no es a menudo sino el chanta o el flaite refractado por las particulares condiciones que entraña la vida en un balneario modesto.

A propósito de lo anterior, las vacaciones debieran tomarse más en serio cuando se trata de entender las peculiaridades del alma nacional. No es solamente una interrupción del curso normal de la vida, un lapso vacío y poco significativo. Todo lo contrario. Cuando las rutinas laborales están suspendidas y el ciudadano queda a merced de sí mismo, entonces se revela más claramente su sustancia, sus capacidades y recursos, su valía, su mentalidad, valores y tropismos. Así como recién cuando un tipo se saca el vestón y la corbata y pasea su humanidad en *short* y polera es que podemos ver su real contextura física, del mismo modo únicamente en vacaciones se revela la personalidad en su auténtica condición. En el caso del chanta dicha naturaleza desnuda, la revelada sin tapujos y a menudo sin querer, sin las restricciones de la vida laboral y social propias de la ciudad, resulta aun menos atractiva, más vulgar y asfixiante de lo que ya habíamos descrito como propia de su ego repleto de pequeñas ambiciones y vanidades. El chanta, en vacaciones, literalmente «se suelta las trenzas». Se siente a sus anchas, libre para ser lo que siempre ha sido, para dar salida franca a sus impulsos sin ahorrarse ninguno.

No hay jefes o autoridades que pudieran echarle una mirada y sancionar o criticar sus actos; no hay vecinos cuyos derechos deba tomar siquiera en lo más mínimo en cuenta; no hay horarios que impongan una disciplina a su vida; no hay un trabajo que disfrace su incapacidad para hacer algo por cuenta propia y que valga la pena.

Sin presiones ni límites a su alrededor, librado a sus recursos, el chanta de vacaciones se abre como una fruta pasada de madura y vierte a borbotones los desvaídos jugos de su personalidad. Al fin libre, se entrega sin más a su propensión natural a la pereza, a sus instintos e impulsos más animales, a ventear con toda impunidad las imperfecciones de su cuerpo achaparrado y vulgar, sus facciones indistintas y carentes de luz, su constante bostezo de aburrido perpetuo. Cuando abre la boca para otra cosa que no sea bostezar puede apostarse a la segura que caerá en cada cliché conversacional del entero catálogo de idiotismos.

Adicionalmente, el chanta de vacaciones, quien ya en la ciudad nunca ha mostrado el menor respeto o sensibilidad por el medio ambiente, se deja llevar gustosamente por una de sus más notables características, a saber, su odio atávico a los árboles. Eso ha sido registrado un millón de veces. La razón por la cual el litoral central está desprovisto casi totalmente de árboles en el sector cercano a la playa es debido a la acumulación de dos o tres décadas de chantas que proclaman «quiero tener vista al mar» y han talado cualquier árbol, propio o público, que creciera frente a su ruca. Sus cabañas son entonces un monumento a la aridez, la sequedad y la basura, la cual se acumula por años frente a sus puertas sin que muevan un dedo por removerla. De ahí que el efecto neto de la presencia y actividades del chanta de verano sea la degradación paulatina y a menudo acelerada del entorno al cual llegan como una plaga de langostas. Rodeados por masas de otros chantas, vestidos igual que los demás chantas, con pantalón corto a medio culo y zapatillas de tamaño descomunal en los que embuten altos calcetines de lana, sintiéndose a sus anchas, rascándose las bolas y escarbándose la nariz, paseándose por calles convertidas en ferias libres, desnudas de árboles pero repletas de anuncios comerciales, de vendedores ambulantes, de parlantes que difunden la peor música posible al mayor volumen posible, de fritanguerías y de aun más basura, el chanta está en lo suyo, en su patria, en casa.

Se dirá que siempre ha sido así. Falso. Ya hemos explicado el elemento central que distingue al chanta de esa peculiar y ahora obsoleta contextura humana que representaba el roto. El chanta se hace valer, no se amilana, no se esconde, no se hurta a la mirada de los otros, no es tímido ni considera nada que no pueda eventualmente pertenecerle, hacer suyo, usar y hasta abusar. El chanta, en el verano, reproduce la vida trashumante de las tribus paleolíticas, ese glorioso pasado de la humanidad, cuando el macho perezoso e intermitentemente borracho o violento se dejaba atender por la china de turno.

En verano, el país entero, en caros *resorts* o picanterías chantas, huele a carne descompuesta.

BARRIOS UNIVERSITARIOS

El barrio propiamente tal...

El crecimiento delirante del mercado de las universidades, las cuales hoy se cuentan por docenas, terminó al cabo de unos años por producir un fenómeno urbano nuevo, el «barrio universitario». Antes de eso, en los años setenta e incluso más atrás, dicha noción no existía. Ni siquiera el sector donde se hallara una amplia facultad dotada de muchos edificios y espacio —como el antiguo Pedagógico, la Facultad de Ciencias Físicas y Matemáticas de la Chile, la sede de la Universidad Católica, etc.— recibía ese nombre. Se hablaba en esos casos del «campus», nada más. Tampoco dichos campus, aun si eran grandes, eran capaces de alterar dramáticamente el entorno donde se encontraban. En sus años de mayor esplendor, el Pedagógico, cuando todos sus estudiantes eran agentes del cambio y revolucionarios a tiempo completo, no generó otra cosa que un par de locales que disfrutaran de cierta preferencia y asistencia, a saber, Los Cisnes, situado al frente de su entrada principal en Macul, más Las Lanzas, en la plaza Ñuñoa. Fue todo.

El «barrio universitario» presupone una situación nueva nacida de la ya señalada abundancia de universidades, lo cual hace posible la coexistencia en un mismo sector, a veces en la misma cuadra, de dos o más sedes de la misma y otras tantas casas de estudio. Dicha coexistencia no nace de una coincidencia. Hay razones para instalar sedes y edificios universitarios en lugares ya colonizados por otras sedes y universidades. Es así porque la agregación crea ventajas: estimula a los municipios a hacer mejoras urbanas, ofrecer facilidades tributarias y crear así un espacio más atractivo para el eventual estudiante-cliente. Una vez el barrio comienza a formarse de ese modo, enseguida llega el comercio a proveer de alimentos, bebidas, fotocopias u otros servicios al súbito y numeroso mercado creado por los administrativos, profesores, funcionarios y sobre todo por los estudiantes. A la vez, la sobreabundancia de jóvenes genera un profundo cambio en la dinámica del barrio, de su nivel de ruido, de actividad, de cantidad y tipo de comercio, de movimiento. Tarde o temprano, al local de fotocopiadoras se suman los boliches especializados en la venta de bebidas, fuentes de soda y comederos baratos; muy pronto también algunos vecinos comienzan a irse —o más bien a huir— y algunas casas son demolidas para dejar lugar a estacionamientos. De ese modo, el carácter del vecindario se trasforma con rapidez y adquiere un tono singular; ha nacido el «barrio universitario».

Esos son los rasgos generales de la génesis de un barrio universitario, pero debe observarse que, una vez creados, hay muy distintas variedades según el talante del alumnado. Son estos y sus conductas los que ejercen el principal efecto en su medioambiente. Dicho talante o tono depende de la clase de estudios y universidades que se ofrecen en las sedes, de los costos de sus carreras, de los puntajes exigidos a los alumnos, de los colegios y medios sociales de los que provienen, de las destinaciones laborales que adivinan tendrán o no tendrán.

Para seguir adelante imaginaremos un barrio universitario completa y totalmente promedio. Sin eso no podemos hacer generalizaciones con siquiera cierta chance de ser correctas. Debemos, por tanto, dejar de lado el clima de lugares tales como la Facultad de Ciencias Físicas y Matemáticas de la Universidad de Chile; Medicina de la misma universidad o de la Universidad Católica, Derecho; las Ingenierías de la Santa María, etc. Y del mismo modo dejaremos de lado recintos que convocan a gente de niveles sociales muy altos provenientes de colegios privados caros. Nos concentraremos en barrios donde las universidades son mayoritariamente privadas y sus profesores vienen y se van —profesores taxi— corriendo de una clase a otra, de un lugar a otro distinto, donde las universidades ofrecen carreras con discutibles prospectos de trabajo.

Vamos entonces a uno de esos barrios universitarios promedio, representativos de la juventud común y corriente que llegó a la universidad. Vayamos y veamos con qué nos encontramos.

Estudiantes de hoy

Nos encontramos, en dichos barrios, con cosas que son, cuando se las dice abierta y derechamente, básicamente muy desagradables. Cosas que van frontalmente contra el discurso y sobre todo contra el espíritu políticamente correcto. Esto me sumará aun más enemigos a la generosa lista que ya tengo, aunque el efecto será marginal, debido al alto número de enemigos ya inscritos. No sería nada de raro, porque Chile es una de las sociedades en las que en forma más tajante y airada se rechaza el acto de mirar e indicar los defectos sin tapujos; preferimos casi todo el tiempo meter la cabeza en la arena y solazarnos con leyendas y mitos de nuestra propia elaboración. Una de esas leyendas y mitos, aunque casi siempre tácita, más bien un vago sentimiento que lo envuelve a uno como la invisible esfera de un perfume hostigoso y barato, nos dice que esa masa de jóvenes actualmente haciendo «estudios superiores» representa el futuro de la nación, su gran reserva humana.

Si por «futuro de la nación» se nos dice que, por obvia necesidad demográfica, esos muchachos y muchachas reemplazarán a los actuales ocupantes de toda clase de roles cuando estos se retiren o mueran, dicha afirmación es cierta y al mismo tiempo banal. No podría ser de otro modo, salvo que la actual población fuera masivamente desplazada y reemplazada por una oleada gigantesca de inmigrantes. Pero, en cambio, si se pretende adosar a esa frase un tono o pretensión optimista, positiva, en el sentido de que esos estudiantes serán mejores personas, trabajadores y profesionales que los de hoy, si se intenta pasar de contrabando un espíritu de celebración anticipada de las maravillas que el futuro le depara a Chile gracias a dicha «reserva humana», entonces me temo que es preciso detenerse un poco y examinar algo más lo que tan alegremente se nos propone.

Supongo que estoy aún a salvo, todavía bien adentro del territorio que demarcan los parámetros del discurso políticamente correcto, si repito la cacareada sentencia acerca de cuán deficiente es la educación chilena y cuánto se precisan «profundas reformas», las mismas que por lo demás no se sabe cuáles podrían ser y tampoco se intentarían si acaso hieren los intereses creados. Lo que me pone más allá de los límites del estrecho, bien pensante y saliwoso país del discurso políticamente correcto es extraer una simple conclusión que milagrosa o interesadamente no he leído ni oído a nadie, a saber, la de que quienes han sido sometidos a dicha deficitaria educación no salen incólumes de esa experiencia, sino maleados, bastardeados y espiritualmente muy arruinados. Pero de eso, de dichas graves consecuencias, no se habla; es como si a los escolares del país esa experiencia desastrosa solo les hubiese resbalado, como si la buena educación fuera capaz de producir resultados pero no así la mala, la cual dejaría una especie de vacío.

Nada es más falso: la mala educación no es simplemente aquella que careciendo de los atributos de la buena sería por tanto pura nulidad, fantasma anémico, entidad vacía incapaz de producir efectos; al contrario, es cosa tangible, real y existente, algo capaz de producir tremendas consecuencias, todas hoy a la vista de quienquiera se atreva a mirar. Hablamos de un estudiantado —el del promedio— que sale de la educación escolar no con poca sino con CERO disciplina de estudio, no con capacidades subdesarrolladas sino con una maciza, arraigada y desarrollada incapacidad, de chicos que egresan no con poco interés sino con CERO interés académico, que emergen del colegio no con dificultades de comunicación sino con CERO capacidad de comunicación y, por tanto, incapaces de redactar un solo párrafo inteligible; hablamos de jóvenes que salen con CERO habilidad de comprensión de lectura, CERO capacidad para hacer esfuerzos sistemáticos y por tanto destinados a dar bote a menos que su «casa de estudios superiores», adaptándose a la clientela, haga CERO exigencias serias, lo cual es lo que veces sucede.

Dicho estudiante promedio no es entonces solo quien no pudo madurar de manera adecuada sus talentos —pero aún en alguna parte del alma, prístinos, esperan su oportunidad—

en el transcurso de su vida escolar, sino uno que llega a la universidad con talentos deformados, baldados y amputados. Se trata, además, en su gran mayoría, de talentos promedio, los que en la PSU se ubican en el rango de alrededor de los 500 puntos. Hablamos de jóvenes corrientes que no solo NO ejercitaron sus medianas facultades para sacarles el máximo provecho, sino que en el curso de su deficitaria vida escolar las cohibieron, jibarizaron y a veces hasta las hicieron desaparecer. Una persona de intelecto normal pero bien adiestrada es capaz de mucho, realmente mucho; la misma persona, sin dicho entrenamiento y al contrario, sumido en un medio en la cual impera la pereza y la negligencia, inevitablemente pierde lo poco que tiene. El tipo superior es capaz de salir adelante por la pura fuerza de sus facultades; el individuo medio es tremendamente dependiente del ambiente en que se mueva.

Hagámonos ahora el cuadro completo de las circunstancias vitales de este estudiante promedio que ingresa a una carrera de mediana exigencia académica ofrecida por una mediana universidad privada. Con variantes y con las esperables excepciones, podemos apostar que dicho estudiante llegará con poca o ninguna capacidad para estudiar en serio y sistemáticamente, con poco o ningún interés real en la carrera elegida —o en la que «quedó»— y además pronto tendrá poca o ninguna esperanza de que dicha carrera vaya a servirle para ganarse la vida. Será de ese modo no solo porque su carrera puede ser de las que se sabe producen un exceso abismal de egresados —periodismo es un buen ejemplo— en relación a una insuficiencia igualmente abismal de oportunidades de trabajo, sino porque tarde o temprano es muy probable que el nivel de exigencias lo impresione —y desmotive aun más— como bajo, relajado y fácil. Es muy posible, dado como el sistema funciona en la actualidad, que el estudiante se encuentre con un medio académico en el que los profesores pidan pocas lecturas, se puedan postergar pruebas o repetirlas para mejorar una nota, las horas libres sean muchas y los llamados «trabajos en equipo» posibiliten sacar ramos sin esfuerzo alguno. En un ambiente así, aun este alumno poco preparado y más bien perezoso, al principio cómodo y contento como si estuviera en las termas, tarde o temprano comenzará a sentir cierta inquietud por su futuro. Como resultado de todo eso, ya al segundo año de sus estudios este alumno comenzará a sumirse en un estado de confusa y molesta frustración, en el sentimiento —sino ya en la certeza— de estar perdiendo el tiempo, de hallarse en un callejón sin salida e incluso de haber sido estafado.

¿Pero estafado por quién? He ahí el problema. No está claro si únicamente los estafó el establecimiento donde estudian, el cual les hizo toda clase de promesas mediante una profusa folletería en papel *couché* y *spots* de cine y televisión en los que les presentaron la universidad como el sitio mismo donde todo sucede, el eje del universo, un supermercado de bellos chicos y chicas, de éxito y logros. Pero, se preguntan después, ¿no los habrá engañado también la entera sociedad que creó esa esperanza? Y puesto que al cabo tienen fuertes sospechas de que el *glamour*, encanto, entusiasmo y aislamiento de las cosas desagradables de la vida que ofrece el campus se desvanecerán como un sueño al día siguiente de titularse, ¿no sufrirán entonces una angustia anticipada por lo que vendrá, por ese destino condenado a la cesantía o a las pegas miserables? ¿No los abrumará una sensación precoz de fracaso? Y por consiguiente, ¿no desarrollarán tarde o temprano, con o sin el influjo de los activistas profesionales o aficionados, un agrio rechazo hacia ese modelo de sociedad que los condena al desastre antes de dar siquiera un paso fuera de la universidad? Y siendo así, ¿no tenderán a desarrollar, por un lado, actitudes y pensamientos que los acerquen a las eternas sectas progresistas y/o protestatarias, mientras por el otro busquen el olvido del reventón, del trago, del carrete desaforado?

Sostenemos que en grados mayores o menores esos procesos, esas transformaciones de la psiquis y de la experiencia del estudiante universitario medio han ido generando en el mundo estudiantil un clima o atmósfera colectiva que está marcada por una fuerte dosis de resentimiento, frustración y agresividad. De esta masa de estudiantes que se agitan inquietos en la temprana percepción de no estar avanzando mucho en sus vidas es de donde suelen salir y reclutarse los llamados «progresistas» en todos sus sabores, de donde brota mucha de la militancia de los opositores vociferantes de la «globalización», los protagonistas frecuentes del reclamo, la protesta, el paro, las tomas, la huelga permanente, las jornadas combativas, el desprecio de la sociedad que los rodea —expresado en mil sitios web— y a veces también de donde surgen los que se suman activamente a grupos extremistas, anarquistas, indigenistas, comunistas, regionalistas, etc., así como es de ese estrato de donde emergen los «comandantes» de esto y aquello, quienes, dicho sea de paso, están aun más perdidos y son aun más ignorantes, confusos y poco articulados que sus antecesores de los años sesenta y setenta.

En «la cotidiana», en los días comunes y corrientes en los cuales no hay en el calendario algún paro, protesta o movilización que protagonizar, a muchos de entre estos universitarios de los que estoy tratando, de estos jóvenes que estudian en algunas universidades que a menudo son meros pretextos de algunos rifleros de la educación para ganar plata «sin fines de lucro», a muchos de estos jóvenes, repito, los ve uno emplear masivamente su tiempo en bares y fuentes de soda. Sé que decirlo suena a exageración, al grito de escandalizado horror de un sexagenario alarmista, pero es totalmente cierto y comprobable por cualquiera. La ingesta alcohólica de una buena porción de estos muchachos es tremenda, inusitada, histórica. Paséese usted, incluso en horario de clases, por algunos barrios universitarios. Dese una vuelta y sorpréndase de la cantidad de jóvenes que ingieren cerveza a las once de la mañana, dentro o fuera de fuentes de soda. Vaya a Valparaíso, en la noche, cualquier día de semana incluso; lo asombrará la cantidad de bares y lugares creados específicamente para atender a esta clientela.

¿No me cree? Asómese a uno y eche una mirada. En dos tercios o más de las mesas y en tres cuartos o más de la barra verá usted a gente joven chupando a todo pasto. Reconocerá fácilmente a los estudiantes varones por sus atuendos y su afición a dejarse barbas, bigotes, trenzas, etc. Los reconocerá incluso por sus actitudes, sus ceños fruncidos, las marcas del descontento estampadas en sus rostros, por sus interpelaciones furibundas en contra de esto y de aquello, por sus risotadas agresivas que manifiestan no un gran sentido del humor, sino una forma enmascarada de agresión y vejación. No es difícil ubicarlos. Y no es difícil adivinar qué poco estudian. Desde luego no son estudiantes que se exijan un esfuerzo continuo y agotador. Estos muchachos son la versión algo mayor de esos escolares disfrazados de vampiros que describimos en las tribus urbanas; de hecho, son algo así como su estado evolutivo —o involutivo— posterior. A su vez, en dicha condición intermedia anteceden en una o dos etapas al adulto ya egresado, al profesional más o menos penca que accederá a un cargo de gobierno gracias a los oficios de su tío del PPD o del PS, aunque algunos quizás se convertirán en «operadores políticos» o forzarán su ingreso a una ONG. Da lo mismo.

Naturalmente —lo dijimos desde un principio— en esta descripción estamos marginando de antemano a las elites. No incorporamos a los estudiantes que dedican esfuerzo y tiempo a sus materias y no dejan lugar para el hueveo. Hablamos de la mayoría medianamente inteligente que estudia solo a medias. Pero lamentablemente es esta mayoría, como toda mayoría, la que da la tónica; es en esta mayoría que se reclutará la mayor parte de los profesionales que ocupen roles de responsabilidad; es de esta mayoría que dependerá lo que en promedio el país alcance en términos de elevación y progreso. Es a esta mayoría deficitaria, distorsionada y buena solo para espetar resentimiento a la cual le digo que tenga la amabilidad de irse a la chucha.

BUROCRACIAS

Rotos mala clase

La atención hacia la existencia de este peculiar animalejo, el roto mala clase, me la hizo una persona para quien las categorías de flaite y de chanta le parecieron insuficientes. Tenía toda la razón. El roto mala clase hace referencia a una bestezuela distinta y muy propia de los tiempos, de modo que sin duda merece un examen especial.

Una primera, aproximativa definición, predicaría a este sujeto como a un chanta disimulado que sabe esconder sus atributos en vez de airearlos y lucirlos como hace el chanta propiamente tal. El roto mala clase es un chanta del alma disfrazado de caballero. Abunda de tal modo que ha adquirido características de plaga. Se planta ante nosotros, en ocasiones, como tipo formal y hasta educado y buena persona, pero es solo apariencia; en su egoísmo cerrado y cerril es capaz de atropellar a alguien y luego «emprender la fuga», porque la vida del prójimo vale menos, en opinión del roto mala clase, que las molestias judiciales y sanciones derivadas de quedarse a asistir a su víctima y enfrentar su responsabilidad. Para estos seres primero están ellos y su miserable lista de placeres y comodidades, segundo y tercero también. Aun así, normalmente no se les ve ni detecta de buenas a primeras, como sucede con el chanta químicamente puro, sino que se les descubre. Pero dicho descubrimiento es inevitable. Tarde o temprano el roto mala clase «muestra la hilacha».

Esta cualidad o más bien duplicidad, su capacidad para disimularse y pasar piola, lo hace una bestia especialmente adaptada para el ambiente de las burocracias y jerarquías administrativas. En estas el roto mala clase pulula en gran número. El disimulo le permite subir algunos peldaños y esquivar ciertos peligros; la mala clase, ya incontenible, se hace notar abiertamente cuando ha llegado adonde quería y no necesita cuidarse tanto. La manifiesta de modo mono-pólico en dirección hacia abajo, hacia sus subordinados, con quienes se comporta de modo grosero y abusivo. Hacia arriba sigue siendo y siempre será un chupapico. El roto mala clase es lo que el gran Pepo caracterizó, en Condorito, como el Roto Quezada.

El roto mala clase se especializa en abusar a posteriori, a los postres. No hace manifiesta su intención de aprovecharse del prójimo desde el primer momento, sino recién al final. En eso consiste precisamente su mala clase, a saber, en su cobardía moral para de inmediato hacer patente su ordinariez y solo revelarla cuando ya es tarde y no le pueden pasar la factura. Consiste también en su hipocresía flagrante y en el modo sinuoso, artero, con que comete sus astracanadas. El roto mala clase es experto en traiciones y deslealtades, pero eso no se sabe sino cuando ya es muy tarde. El roto mala clase nos sonríe para después acusarnos con el jefe y deja de disimular su bajeza recién cuando quien tiene al frente está inerme en sus manos; entonces vocifera y hace valer su poder. Otro rasgo típico suyo es la astucia ratonil con que lleva a cabo sus maniobras traicioneras: no las comete en el acto, sino las acaricia, las guarda y las retiene para soltarlas cuando ya no hay remedio posible. Es el caso del tipo que nos había dicho una cosa, pero cuando llega el momento la reinterpreta para nuestro perjuicio. ¿Si lo echábamos se iba usted de la empresa con dos palos? Sí, pero solo si se queda quince días más para entrenar a su reemplazante. ¿Le dijimos que tenía derecho a diez días de vacaciones? Sí, pero para eso le faltó un día de trabajo. Además usted no miró «la letra chica». Y así sucesivamente.

Los rotos mala clase se han multiplicado a medida que se multiplican los aparatos administrativos en el área pública y privada, pero aunque ese es un factor, no es el único que explica su nacimiento y desarrollo exponencial. Este obedece también a otras razones. Una de ellas es la inestabilidad del trabajo, el modo como hoy nos ganamos la vida. Los negocios se pueden ir al tacho en un instante, las pegas pueden perderse en un segundo, las reputaciones dependen del juicio variable de muchos. Todo eso es particularmente relevante para gente situada en jerarquías intermedias, en las que por un lado se tiene a varios jefes por encima y por otro se tiene a varios subordinados por debajo; eso equivale a decir que el juicio que se hace de nosotros depende de terceros, de cuya *performance* se nos hace responsables. En medio de esa incertidumbre y ansiedad llega un momento en que para sobrevivir se necesita doblez, disimulo y arte. Llega el momento del roto mala clase.

Es claro que los rotos mala clase son una variedad de los ejecutivos, a quienes ya examinamos de acuerdo a sus propios méritos como especie. Un roto mala clase es un ejecutivo con todas las características ya vistas, más el agregado de las que estamos viendo ahora. Hay también, sin embargo, Mantequillosos, Negritos de Harvard y otras variedades del bestiario que son también rotos mala clase. El roto mala clase podría entonces ser considerado menos una criatura autónoma que un parásito viviendo dentro de otro organismo, alimentándose de él y transformando en algún grado sus rasgos. Sin embargo, a diferencia del parásito común y corriente, este se queda para siempre en el inquilino donde aloja; más aun, no hay remedio conocido para combatirlo. Quien se convirtió en roto mala clase, tal cosa sigue siendo hasta su fin.

Un rasgo muy notorio de este personaje es su oportunismo y afán por trepar la escala social. En eso y solo en eso manifiesta una especie de espontaneidad y candor casi humanos. En presencia de un «superior social» podría decirse que pierde su habitual compostura y fingimiento, y en cambio se hace todo oídos, toda admiración. Abre su corazón y sus piernas. Mira en pasmo al tipo de arriba. Le expresan con ojos vacuos —o de «cordero degollado», como decía mi madre— su profunda admiración. Entra en estado de arrobo cuando lo oye decir cualquier lugar común, como si estuviese en presencia de Einstein explicando la teoría especial de la relatividad. Sí, el roto mala clase es un adulador nato del tipo más elemental.

¿Qué otra cosa podría hacer y ser? Las burocracias —en especial las privadas— son hoy terreno minado. No solo cualquier paso en falso termina explosivamente con la pega que se tenía, sino además cualquier paso puede convertirse en falso mañana después de haber sido hoy el correcto. Es un terreno minado, pero además sembrado en arenas movedizas. No faltan tampoco los dispuestos a ayudar con un empujoncito. Y la razón para esta tembladera es simple: las empresas enfrentan hoy condiciones muy variables que han demolido por completo las viejas estructuras administrativas en las cuales podía uno pasarse la vida hasta el momento de la jubilación. Podía uno dormir la siesta en la pega. Las rutinas laborales se preservaban años de años. Era posible prever el paso de las etapas de la vida, de las estaciones del año, marcar en el calendario las fechas de las despedidas de los colegas, comprar anticipadamente el reloj Urbita enchapado en oro que se regalaría a los que se iban, saber cuándo sería uno ascendido y cuánto aumentaría el salario. Uno terminaba por saberse de memoria la invariable pega y por tanto, por idiota que fuese, se terminaba por hacerla muy bien. De ello resultaba una cierta eficacia nada de despreciable. Hablamos, claro, de épocas remotas cuando los puentes planificados por el MOP no se caían con la primera subida de las aguas.

Los tiempos actuales son muy distintos. Reina lo provisorio. Provisorio es lo hecho con material ligero, tal vez un poco a la diabla, con la idea de que su duración no puede o no debe ser mucha. Chile era el paraíso de las edificaciones provisorias capaces de durar décadas, pero hemos progresado; ahora también son provisorios los trabajos, las carreras, las obras públicas, las doctrinas políticas, las amistades y las lealtades; además lo provisorio cumple finalmente con su debida naturaleza y dura apenas una semana. Aun más, dura una semana lo que se edificó para sustituir con algo duradero lo que era provisorio.

En otras palabras, estamos verdaderamente ampliando el rango y ámbito de lo provisorio como corresponde hacer en un mundo que se ha hecho tan cambiante y provisional. Es el caso de las burocracias. Salvo en el ámbito estatal, espacio mágico y maravilloso donde reina una inamovilidad —e inmovilidad— poderosa como un hechizo, ya no hay de dónde afirmarse. Jefaturas, mandos medios, gerentones, asistentes, secretarias o ascensoristas pueden caer y caen por igual de un día al siguiente en la categoría de «la grasa que hay que cortar». Esto produce una enorme ansiedad que se refracta de diverso modo según la pega de cada quien. Los empleados rasos de escritorio o mesón combaten la incertidumbre intentando parecer más útiles y laboriosos de lo que nunca han sido, para lo cual y entre otras tácticas prolongan artificialmente sus jornadas con un tardío abandono de sus puestos de trabajo. Los ejecutivos medios hacen lo mismo en grado aun más extremo, pero siendo eso insuficiente, porque además se les hace responsables de un cierto destacamento de empleados, deben asegurarse, pues, de dos cosas: que sus subordinados hagan bien la pega dándole a él todo el crédito porque se lo merece en su condición de líder y ejemplo vivo de la nación o que si no la hacen bien asuman entera y personalmente la responsabilidad de dicha criminal insuficiencia dejándolo a él en estado de pura inocencia. Es ese requerimiento estructural el que genera el nicho ecológico para el roto mala clase. Es ahí, porque tan difícil situación requiere de un arte de suma duplicidad. ¿Quiere usted que empleados trotones galopen a todo dar? Es preciso adularlos y hacerles promesas porque las amenazas no funcionan; además, debe hacerles promesas falsas porque solo estas no necesitan enojosos límites; debe también hacerles creer que los mira con verdadero respeto para que los idiotas se deslomen. Y finalmente debe hacerles ver, cuando pasen a cobrar el premio, que el ticket no es el correcto, pero siga usted concursando. En otras palabras, debe convertirse en el roto mala clase incapaz de cumplir su palabra, siempre haciendo suyos los méritos ajenos y endosando a los de abajo sus propias insuficiencias.

Finalmente, dicha duplicidad y mariconería del alma debe disfrazarse. En el ambiente decoroso de las oficinas el desplante vulgar del chanta no es bien mirado. De ahí el empaquetamiento con las formalidades exteriores de la elegancia, buena educación, modales y decencia. Más aun, el roto mala clase pudo no haber sido roto escondiendo ahora dicha condición tras ese disfraz; bien puede suceder que se llegue a ser uno, que un tipo originalmente decente se transforme en uno, que el gusano de la rotería del alma se críe en la oscuridad de dicho escondite. Quién sabe. Pese a su venerable edad, la antropología es aún una ciencia en pañales.

Apitutados jurídicos

Los apitutados, como de sobra saben los lectores, son una raza vieja como el mundo, inmensamente adaptable y flexible en grado superlativo. Sus miembros son los que verdaderamente heredarán la Tierra y todo lo que haya en ella, incluidos valores de bolsa, inmuebles y papeles del Tesoro. No hay sociedad en la historia humana, incluidas las tribus paleolíticas, cuyos esmirriados ciudadanos andaban recolectando nueces a poto pelado, que no haya conocido de la existencia y proezas de los apitutados.

¿Se necesita, como en otros casos, una definición previa de la bestia? Posiblemente no, pero no importa, la daremos igual: apitutado es quien ha sabido hacer suyo —acceder a— un punto de la administración del Estado que le permite succionar recursos sin esfuerzo alguno, salvo mostrar la debida lealtad y obsecuencia a quien lo puso en dicho sitio. Hay aquí, entonces, un trío: el pituto, el apitutado y el que otorga el pituto. Podemos imaginar el pituto como algo parecido a una boquilla en virtud de la cual el hocico insaciable del apitutado obtiene fluida entrada al almíbar del fisco, el cual sorbe a dos carrillos. Este pituto es accesorio, no esencial a dicho almíbar; puede o no existir, pero no existiría ni tendría razón de ser sin la existencia del almíbar, el cual, por su parte, no depende del pituto o boquilla en sentido alguno. Tiene existencia previa y de hecho es disminuido por la acción del pituto. El apitutado, por su parte, no solo no necesita existir sino además no debiera existir y es una desgracia que exista. No contribuye a la producción del almíbar, sino únicamente a su consumo y más aun, en su esporádica necesidad de hacer aparecer su pituto como funcional y efectivo, muy bien puede cruzarse en el camino de la gente productiva y entorpecer sus operaciones. El dador del pituto, por su parte, es lisa y llanamente un sinvergüenza. Es quien utiliza recursos públicos como si fuesen propios con el propósito de pagar favores pasados o futuros, sentirse maravillosamente bien ayudando a un camarada o poderoso por el mero hecho de ser capaz de otorgar favores.

Tanto el apitutado como el dador del pituto suelen tener lazos de compadrazgo personal y/o político. Esa es la base de todo el asunto. De ahí que esta peculiar dádiva financiada por los contribuyentes es en algunos aspectos similar a como procedía el enfeudamiento de un vasallo por su señor durante la Edad Media. El señor otorgaba tierras y prebendas al vasallo —el enfeudado— a cambio de servicios personales y lealtad futuras; de hecho, la condición de vasallo derivaba de ese acto, así como complementariamente era o se hacía señor quien estaba en condiciones de otorgarlas. En el caso del pituto, el señor lo da también a cambio de apoyo irrestricto: apoyo electoral, apoyo político interno, apoyo en el partido. Lo da además, en ocasiones, como pago por servicios ya prestados. A menudo se da o reparte en masa al modo como los piratas se peloteaban un botín luego de un exitoso abordaje. El botín repartido en este caso son las arcas fiscales. En oportunidades suele también operarse al por mayor; en esta modalidad, una colectividad política recibe como feudo un área completa del Estado para ser repartida entre su tripulación de la manera que le parezca conveniente. Cuando un gobierno hace eso, cuando entrega marquesados, ducados y condados a sus partidos componentes, afirma estar llevando a cabo la esencial tarea de «preservar los equilibrios».

Todo esto, ya lo hemos dicho, es viejo como el mundo. Sin duda, el hombre fuerte de una vulgar patota de energúmenos de la era prehistórica ya debe haber tenido a su lado a un sinuoso adulador, quien, a cambio de sus dulces palabras, recibiría una tajada de mamut sin tener que hacer el esfuerzo ni correr el riesgo de cazarlo. Los tiranos y reyezuelos de la Grecia preclásica, los cónsules de Roma, los dinastas persas o los monarcas europeos, para no hablar de los Estados modernos democráticos, nunca han carecido de enjambres de apitutados. Solo cambian los nombres, el lenguaje, el estilo, el pretexto. ¿Por qué Chile habría de ser una excepción? Por eso lo que aquí examinaremos no es el fenómeno en sí, sino las formas que ha adoptado en los últimos años, su más reciente encarnación o al menos la más costosa, inútil y descarada de todas.

Esta forma, enormemente conveniente por su flexibilidad, es la llamada «asesoría jurídica». Es un un invento reciente de los gobiernos de la Concertación o al menos ha sido esta la que la ha popularizado entre sus hambrientas huestes. La asesoría jurídica tiene una ventaja inmensa e insuperable en comparación con cualquier otro servicio fantasioso que pudiese ofrecer un candidato a pituto para justificar a priori y a posteriori la recepción del beneficio; en efecto, dicha asesoría carece de toda expresión física, metafísica o virtual que sirva para detectar su grado de utilidad e incluso su sola existencia. Normalmente, el resultado de la asesoría jurídica toma la forma de un «informe en derecho» impreso en papel, cinco o seis carillas a lo más desbordando jerigonza jurídica, pero puede también ser entregado oralmente, como de hecho ha ocurrido o se dice que ha ocurrido. ¿Cómo entonces probar su utilidad o incluso que llegó a existir? Ya lo primero es dificultoso; la naturaleza misma de la juridicidad de tal o cual cosa o evento es asunto ambiguo y se presta a mil interpretaciones. No hay aquí matemáticas, pesas y medidas que sirvan para establecer algo; hay palabras, únicamente palabras y no existe nada en el universo más deformable y cambiante que una palabra, aun aquellas que pretenden estatus académico bajo la pretensión de ser «conceptos».

Pero hay más: si el informe fue hecho en papel, tiene entonces existencia material y un examen posterior de sus reliquias revela que no cabe duda alguna de su inutilidad, que no hay modo de interpretar la palabrería para siquiera parecer relevante. Pese a todo, no hay manera de probar que dicho informe fue expresa y maliciosamente hecho para cobrar un honorario y sin motivación alguna por entregar una mercancía útil. Pero hay incluso más: el contratante de dicho informe tiene un interés creado en aducir que lo comprado al camarada fue muy útil y jurará con una mano sobre una Biblia que así ha sido. Y en consecuencia, si tanto vendedor como comprador están de acuerdo en que la mercancía sirve para algo, ¿cómo y desde dónde probar que no lo es?

Es de todos sabido que numerosas empresas del Estado y/o partes de su cuerpo central han hecho uso de este conveniente recurso para arreglar los problemas de caja de algunos camaradas en apuros. Es sabido que en ocasiones dichos especialistas en perpetrar «informes en derecho» formaban parte del directorio mismo que debía decidir si ordenarlos o no. Es sabido que esos informes en derecho suelen ser tan irrelevantes como escribir una tesis sobre la importancia del agua para la navegación. Es sabido también que con solo suspender la adquisición de tan esenciales informes —y otros ahorros relativos a gastos igualmente inútiles y abusivos— Codelco anunció el 2008 ahorros por muchos millones de dólares. Y es sabido que ninguna de esas reparticiones del Estado tiene en su estructura administrativa una poblada fiscalía, una entera sección repleta de abogados, quienes bien podrían hacer informes en derecho igualmente idiotas e inservibles —si así se prefiere—, pero sin costo adicional.

Pero todo esto es académico pues lo más sabido de todo, el conocimiento más radical o esencial de todos, es que el Estado existe, impone leyes, cobra impuestos y fuerza su voluntad —con la policía si es necesario— en parte para satisfacer el bien público, pero muy fundamentalmente para favorecer a quienes lo ocupan y manejan. El Estado NO ES un instrumento en abstracto, ciento por ciento diseñado y usado para cumplir una función al modo como un martillo solo tiene sentido en su forma y uso para clavar un clavo. El Estado llega a existir y desarrollarse sobre la base de tareas colectivas que se deben cumplir, es cierto, pero sobre esa base erige una inmensa torre de privilegios y prebendas, sinecuras, favores, repartijas, beneficios, bonos y otras mil formas de aprovechamiento para quienes ocupan los roles de ese Estado y/o los grupos de interés que desean beneficiar. Aun los más humildes «servidores públicos» reciben siquiera las migajas de dicha exacción en gran escala. Obtienen al menos la pega, a menudo inútil. Y obtienen también un grado mayor o menor de estabilidad laboral estatutaria, esto es, como anexo al cargo mismo y no a la *performance*. Esto fue así en el estado teocrático de los faraones, en el Imperio Romano, en la corte de los monarcas británicos, lo es en la inmensa burocracia yanqui de hoy y por cierto en nuestro Estado chileno.

Lo que hace de la «asesoría jurídica» un instrumento tan desagradable —y a los que se apitutan o han apitutado de ese modo, personajes tan despreciables— es no solo la escandalosa, la grosera ausencia de valor de que hacen gala dichos informes y el costo en dinero contante y sonante que le significan al erario nacional, sino además el hecho de que los apitutados de esta clase ni siquiera son personas que en su desvalimiento y necesidad se vean empujadas a emprender cualquier cosa con tal de poner un plato caliente de comida en su mesa. Al contrario, son abogados, gente linda del régimen, altos funcionarios, profesionales que ocupan o han ocupado sillas en el directorio de bufetes caros. Lo que los lleva entonces a hacer *lobby* por obtener asesorías jurídicas —a veces varias al año, como si hubiesen montado una línea de producción en serie— no es la necesidad sino la codicia. No los impulsa el hambre fisiológica sino el apetito cerebral, mucho más insaciable e insondable. Son los Mantequillosos del mundo de la Concertación.

Escribo estas líneas repleto del rencor inextinguible de quien paga impuestos y los ve irse por el resumidero del aprovechamiento ajeno. Y lo hago teniendo fija en mi mente, para no perder la huella, la imagen porcina, grasosa y complacida de uno de ellos cuyo nombre no daré pero bien puede usted intentar adivinarlo. Hablo de un tipo de rostro más bien gordo, baja estatura y cierto aire general de cerdo con miopía. Este sujeto tiene fama de «brillante», lo cual, en política, significa que tiene astucia para maniobrar y colocarse y retórica suficiente para no decir nada sin que dicho desvalimiento intelectual sea muy notorio. Como él hay legión. Algunos, incluso, posan de austeros. Otros pretenden que sus miserables informes sí tienen valor. Son francamente una horda de aprovechadores inescrupulosos.

OTROS APITUTADOS

Pero, ¿acaso olvidaremos a los apitutados del sector Relaciones Exteriores? Claro que no. La Cancillería —si acaso esa repartición, que más bien es repartida, merece ese nombre— ha sido desde siempre coto de caza de políticos que envejecen o están ya gagá o han fracasado en otros designios. Ha sido así, pese a que en el curso de las décadas se han escrito volúmenes de discursos sobre la necesidad de «profesionalizar» ese cuerpo. Pero no ha sucedido. No solo muchos cargos de embajador, sino de consulados, agregadurías culturales, de prensa, secretarías, etc., están disponibles como pitutos. En cierto sentido las embajadas cumplen el papel de casas de reposo. ¿Falló la postulación de fulanito de tal para formar parte de una lista de candidatos? ¿O fracasó su candidatura? ¿Lo sacaron por imbécil o por ladrón de un cargo de envergadura? ¿Lo pillaron in fraganti? No importa; será enviado a curar sus heridas, a huir de los medios de prensa o de sus colegas, de su fracaso y su medianía en alguna lejana embajada. No se requiere dominio de idiomas ni conocimientos de clase alguna. Basta que el ungido sepa usar pañales desechables para la tercera edad y así no pasar planchas; basta que no declare la guerra; basta que se levante antes de las doce; basta que no vomite en los cócteles, no al menos en los azafates de flores; basta que no lo pillen fornicando con una funcionaria —o funcionario— local. Ojalá también sepa leer y escribir.

Otra fuente de personal para dichos pitutos es el mero, simple y vulgar pago de favores políticos, afectivos y sexuales. Solo entre la gente que yo conozco —y les advierto que apenas conozco gente— hay al menos media docena de personas que durante la primera gesta electoral de la Concertación apareció en el escenario del *glamour* del NO y/o se encaramó a las espaldas de caballeros destacados de dicha gloriosa campaña, para entonces, luego de elegido Patricio Aylwin, súbitamente iniciar carreras en «relaciones exteriores». Otros pasaron por caja luego de haberse molestado durante toda una administración lamiendo los zapatos del Presidente de turno. Sé de señoras que hacen de embajadoras meramente por su militancia. Les tocaba el turno.

De todas las variedades que pudiéramos examinar, el referente, el punto de comparación, el canon clásico del apitutado es ese personaje oscuro y mediano en todo orden de cosas que aparece repentinamente acomodándose en un cargo ya existente o recién creado de la administración pública. Es uno de los más dañinos. Los cargos en embajadas carecen casi del poder para dañar, salvo algún escándalo, el cual cae principalmente sobre la cabeza del protagonista. Su lesión al patrimonio público es pasiva y solo equivalente al monto de recursos necesarios para mantenerlos en su puesto. Incluso el asesor jurídico, excepto por lo caro que resulta, tiene escasa capacidad para lesionar. Sus informes, el 99% de los casos, simplemente van a parar a un cajón o a la papelera.

El apitutado de oficina, en cambio, de vez en cuando despierta de su sopor y se empeña en dar muestras de diligencia. Quiere ser o parecer útil. Considera que hacer tal cosa de tanto en tanto es fundamental para apaciguar los cargos de conciencia de quien lo puso donde está. Pasa entonces de la absoluta inamovilidad de todos los días a un frenético estado de agitación durante un par de semanas. Esto necesariamente lo pone en curso de colisión con la rutina del medio en el cual se encuentra. Siendo como es ocupante de un cargo accesorio al margen de los flujos administrativos, su único medio para hacer algo y hacerse notar haciéndolo es interferir en aquellos. De la noche a la mañana se pone creativo y sugiere cambios; se presenta ante jefaturas intermedias y les hacer ver que todo podría ejecutarse mejor si se siguiera su consejo. Es más, de estar dotado de algún poder, se empeñará en que su idea genial se ponga en práctica. Nueve veces de ocho esa iniciativa terminará con un desastre. Será, entonces, vapuleado por sus superiores, pero siendo el suyo un cargo de origen político, la reprimenda no pasará a mayores. El único efecto será arrojarlo de regreso a su poltrona. Y ahí invernará por otro período.

No podemos olvidar la etnia pituta que mencionamos al paso en una sección anterior de este tratado, a los miembros de esas cortes en miniatura que actualmente plagan la administración pública. Dijimos que «en dichas cortes microscópicas los camaradas y compañeros que las forman aparecen dotados —o disfrazados— de oficios tales como relacionadores públicos, encargados de prensa, jefes de gabinete y otras glamorosas nomenclaturas...».

La inmensa mayoría de esas personas, digámoslo ya, son periodistas. Pueden ser periodistas jóvenes o entrados en años, hombres o mujeres, entusiastas o ya algo cansados y aburridos; lo que sí deben ser a toda costa es militantes de un partido de la Concertación. Curiosamente, paradójicamente, este pituto es más efectivo que todos los demás que hemos examinado. Es, en muchos sentidos, un trabajo productivo. Lo que estos relacionadores o jefes de gabinete hacen por sus reyezuelos no deja de ser real. Se trata de operaciones que se traducen en actos, informes y asesorías con alguna sustancia. Existen de verdad. Lo que de todas formas les impide evadir la condición de pitutos es que normalmente sirven a pitutos. Sirven a operadores políticos, esto es, a apitutados químicamente puros.

PUNTO FINAL

¿Revolución cultural?

Mientras escribo estas líneas la prensa chilena hace el recuento de 2008 con cierto jubiloso talante debido a una presunta «revolución cultural» que se estaría produciendo. En virtud de esta, la gente, según dichos observadores, habría abandonado o está abandonando su tradicional pasividad. La ciudadanía se habría «empoderado». Ya no le toleraría cualquier cosa a las elites. Y así sucesivamente. Esencial para este cambio serían Internet y otras tecnologías, incluido el teléfono celular. Sin Facebook, Google, los *blogs*, etc., muchos fenómenos de comportamiento colectivo no podrían entenderse, afirman seriamente.

Me temo no coincidir con esa visión, a mi juicio, muy exagerada. Me temo que es una visión que literalmente se deja llevar por las visiones. Y lo que se ve y lo que se ha visto es, en lo fundamental, simplemente la llegada e incorporación de ciertas tecnologías y de las debidas adaptaciones y costumbres que eso entraña. Por consiguiente, hemos visto y vemos nuevos idiotismos y manierismos, modas y jergas, beneficios y comodidades, costumbres y malas costumbres, pero no una «revolución». Verlo así es caer en la miopía sociológica, si no en la ceguera. En *geeks* y *nerds* de 15 años de edad es entendible tamaña enormidad, pero no así en serios, sesudos, inteligentes columnistas.

Los juicios deben hacerse juzgando, no mirando. La aparición súbita y masiva de una tecnología y de sus usos puede ser muy impresionante, pero una gran impresión no equivale a una revolución. Solo cuando se observan radicales, profundas transformaciones allí donde se produce y distribuye la riqueza y el poder político, tiene pleno sentido ese término. Por eso es razonable y hasta exigible hablar de «revolución francesa» o «revolución industrial». Pero si acaso modestamente limitamos el concepto revolucionario al ámbito de la cultura, aun así deberíamos ser más exigentes antes de sacarlo a relucir. Deberíamos, como mínimo, hacer un ejercicio comparativo. Comparar lo que había antes de sustancial con lo que ahora estaría surgiendo «revolucionariamente».

¿Qué era lo sustancial en el ámbito de la cultura, esto es, en el meollo de nuestros comportamientos y actitudes? Lo sustancial era —como en toda el área de la cultura latinoamericana— un predominio de la pereza por sobre la diligencia, de la queja por sobre la acción, de la envidia y el resentimiento ante lo hecho por otros en vez de un deseo de imitarlos, emularlos y quizás superarlos. ¿Ha cambiado eso en Chile? ¿Son los estudiantes mejores estudiantes por el hecho de que ahora, en sus movilizaciones, coordinen su patochadas callejeras con celulares? ¿Son los trabajadores chilenos más productivos y menos deshonestos porque puedan ahora rezongar y culpar de sus falencias a los demás vía Internet, en *blogs* y en portales?

Creo que no.

Creo que solo tenemos más medios físicos para darle resonancia a lo que siempre hemos sido. Tenemos más objetos para robar, si el prójimo se descuida. Tenemos Internet para expresar nuestra cobardía y mala leche, anónimamente, en patota. Tenemos más empedrados a los cuales echarles la culpa. Lo que no tenemos es una revolución que nos haya sacado o nos esté sacando de nuestro ser de siempre. Y lo que sí tenemos lo veremos en la próxima, última sección.

ORDINARIEZ

Llegamos al final de este libro seguros de al menos dos cosas: primero, que NO tenemos una revolución cultural en curso en el sentido de estarnos librando de nuestras taras y desarrollando nuestros posibles talentos; segundo, que muchos otros tipos de personajes pudieron haber desfilado por estas páginas para ilustrar el punto anterior, pero o se nos han pasado por alto o se me ha acabado el tiempo o en todo caso es innecesario apilar más y más caracteres representativos de la época.

Ya es suficiente. El punto ha sido hecho. Creo que ustedes, los lectores, tienen claro cuál es mi idea acerca de la clase de entorno que se ha ido consolidando en Chile sobre la base de las fuerzas económicas, políticas y culturales prevalecientes. Si me pidieran una especie de síntesis y/o una parábola para resumir todo lo dicho en página tras página de patología comparada, diría que Chile es —hasta este momento— como un joven no muy inteligente que ha perdido el rumbo y se ha lanzado de lleno por el camino más chanta que encontró a mano, el más fácil y vulgar, el de la pendiente más inclinada. Y se ha perdido. Él aún no lo sabe, al contrario, cree que en lo principal va bien salvo por tales o cuales accidentes del camino, rodados de piedras o baches que por momentos le dificultan el avance. No lo sabe porque está en la naturaleza de estos senderos que van hacia abajo el que no exijan otro esfuerzo que dejarse llevar. Como dice esa manida frase, el camino hacia el infierno está muy bien pavimentado. Este no lo está, alguien se robó los fondos de pavimentación, pero aun así es más accesible y llevadero que el otro, aquel por donde debimos habernos encaminado.

De manera, entonces, que si me piden un concepto o siquiera una palabra que resuma o sintetice todo, sería este: ORDINARIEZ. Nos hemos vuelto ordinarios, nos estamos poniendo cada vez más ordinarios. Algunos dicen que nuestro pecado es la arrogancia, creernos o habernos creído los tigres de Sudamérica. Nada más falso. La arrogancia al menos suele apoyarse sobre una base objetiva que la permite y hace posible. Nosotros nunca la tuvimos; lo nuestro fue y es pura ordinariez. La ordinariez que se traduce en modales ordinarios, apetencias ordinarias, comportamientos ordinarios, gustos ordinarios, valores ordinarios.

Para empezar, nos hemos arrojado en piquero a la piscina turbia del puro interés comercial. El país entero huele a mesón de almacén. La apetencia comercial que infecta a muchos de nuestros ciudadanos, quienes ya no saben hablar salvo de los «suculentos negocios» que están haciendo o harán, es la madre de todas las ordinarieces. Ya no se hace nada sin consultar a algún joven ingeniero comercial presuroso y ansioso por ahorrarle al amo un par de centavos con tal o cual práctica mezquina, abusiva y deleznable. Y es así en todo orden de cosas. Esa actitud es universal. De ella se alimentan las más diversas conductas chantas tal como de la misma agua legamosa y putrefacta se nutre toda la vegetación de un pantano. La codicia y la avidez son hoy las virtudes prevalecientes e incluso han encontrado a evangelistas. «La codicia es buena», nos dicen, «porque con ella la gente lucha por hacer cosas, crea riqueza, etc.». Puede ser parcialmente cierto, pero con ella va de la mano la tendencia al abuso, la desconsideración, el pisoteo de los demás, la pérdida de las finezas y al final de los rumbos, del sentido de la vida. No puede uno pedirle al tipo que opera un martillo neumático todo el día que escuche a Mozart; lo más probable es que esté sordo. Pues bien, de tanto involucrarnos con el cacareado modelo nos hemos ensordecido a lo que vale la pena, a lo elevado, lo generoso, lo justo, lo decente, lo refinado, lo considerado y amable. De ahí que, incluso medidos por el rasero del comercio, tanta codicia nos ha convertido verdaderamente en muy poca cosa; los magnates del Renacimiento, en cambio, sabían integrar sus prácticas comerciales con el más refinado gusto y apoyo a las artes y las ciencias; de resucitar nos mirarían como a cucarachas y volverían a morirse de puro asco.

Decir esto suena a algunos como cosa despectiva, mohín de elites que echan de menos, con nostalgia, los tiempos en que eran dueños de todo sin molestarse mucho ni ver sus espacios de vida y diversión invadidos por las masas. No es mi caso. Jamás fui parte de la elite ni en lo económico ni en lo político ni en lo social. No tengo apellidos vinosos o históricos, fortuna familiar, fundos, abuelos millonarios, tatarabuelos ladrones de caminos ennoblecidos por la prosperidad y el olor al dinero. No hay en mí, como en muchos otros chilenos, sino una modesta, razonable, decente aspiración republicana que pretende un país equitativo y educado, uno donde sus ciudadanos de todas las edades encuentren alicientes y medios para desarrollar su espíritu al máximo de sus posibilidades. Es, esto último, la única fórmula efectiva para esa felicidad o siquiera contentamiento que de los labios para afuera todo el mundo proclama como su meta mientras al mismo tiempo, equivocando completamente la relación medios-fines, no hace sino atiborrarse los bolsillos y la boca, repletarse de cosas inútiles, llenarse de ambiciones, amargarse la vida en presurosas carreras hacia ninguna parte, luchar unos contra otros por un miserable dólar más, por un punto de *rating*, por un segundo de fama.

Creo sinceramente que estamos equivocados. Al menos yo no estoy disponible para tragarme o siquiera rumiar la ya marchita monserga que insiste en las virtudes del modelo o siquiera en su capacidad divina para «crear riqueza». Los mistagogos a su servicio no hacen otra cosa que apoyarse en generalidades tan huecas como esa. Para eso muestran cifras, estadísticas y varas de medida confeccionadas por ellos mismos. Están convencidos de que un modo de vida puede ser defendido e incluso promovido por su capacidad para poner a disposición del respetable público más jugueras, televisores y automóviles chinos. En su ceguera total no ven o no quieren ver los costos ambientales y humanos de su modelo. No les interesa meditar mucho en la clase de sociedad fragmentada y en guerra contra sí misma que promueve. No les gusta reflexionar en las crecientes cohortes demográficas de jóvenes más y más brutalizados y descerebrados que brotan de las entrañas de una cultura comercial y vacía. Para ellos primero que nada está el PGB. Segundo, las utilidades de las empresas. Tercero, los dividendos. Cuarto, las cifras de la Bolsa. Si eso está bien, proclaman su satisfacción y se echan en sus poltronas.

No espero ni por casualidad que esta situación distorsionada se modifique por obra y gracia de una intencionada acción humana, de tal o cual movimiento social y/o político. La enseñanza histórica es clara: cuando un modo de vida molesta ya a demasiada gente, hay alguna clase de estallido a veces llamado revolución, pero de eso suele salir poco de positivo y aun menos de duradero. Las capacidades intelectuales humanas son demasiado bajas para esperarse otra cosa. Y la ambición, en cambio, es casi infinita; esa mezcla de poco con mucho es letal. Lo que sí puede producir efectos es la acumulación progresiva de cambios y adaptaciones derivados de transformaciones tecnológicas y del entorno, muchas de ellas a la fuerza. Dichos cambios, al principio solo cuantitativos y a menudo casi imperceptibles, terminan por transformar el escenario completo. Pero eso toma tiempo. Tiempo, porque la inteligencia humana, aunque limitada, no deja de existir y alcanzar, al cabo de muchas experiencias y calamidades, algún atisbo de entendimiento. Ese tiempo tan largo del aprendizaje es el que da tiempo para el exceso, el hartazgo, el pago de costos insoportables y la ocurrencia de mil tropiezos y fracasos. Pero al fin se aprende y se da un paso adelante.

ÍNDICE

ADVERTENCIA 7

EN LA *CITY* 15

BARRIO ALTO 71

VIDA URBANA 109

OTRAS RAREZAS 131

LA POBLACIÓN 155

RESORTS, BALNEARIOS 173

BARRIOS UNIVERSITARIOS 191

BUROCRACIAS 203

PUNTO FINAL 221

Este libro se terminó de imprimir
en el mes de septiembre de 2009
en Salesianos Impresores S.A.